A' Nargesse...

M. Saloue

Maryam Salour

© Nazar Art Publication 2020 No. 2, Sharif Alley, Iranshahr Ave., Tehran-Iran Tel: +98 21 88828903 - 88843294
www.nazarpub.com info@nazarpub.com

Maryam Salour

Œuvres Choisies **1986-2018**

Traductions du et vers le français: Minou Moshiri, Houchang Esfandiar Chehabi, Yoland Momtaz, Mana Dehnad, Justine Landau | Traductions du et vers l'anglais: Minou Moshiri, Houchang Esfandiar Chehabi, Sohrab Mahdavi, Justine Landau | Éditeur Persian Sayeh Eqtesadinia | Éditeur Français Yoland Momtaz | Éditeur Anglais Sohrab Mahdavi | Travail éditorial: Mohamad Reza Haeri, Sayeh Eghtesadinia, JeanTarabolsy, Niusha Milani , Sheida Dayani
Collecteur d'informations: Leila Mofid | Directeur artistique et exécutif: Siavash Yazdanmehr |
Conception graphique et mise en page: Hamed Shabani Samgh Abadi | Photographie: Saïd Behrouzi, Mohammad Seyed Ahmadian, Negin Abbasi, Homan Sadr, Naghmeh Ghasmlou,
Mohammad Arab, Mehrdad Seyed Ahmadian, Kaveh Seyed Ahmadian, Amin Davaei, Nastaran Fotouhi,
Arthur Ghilini, Hamid Eskandari, Sahand Behroozi, Nader Samavati, Ali Farbood
Printed by Nazar Art Publication | Pre-printed by Saeid Kavandi | Print Manager: Mehdi Ebrahim
First published in Tehran 2020 | ISBN: 978-600-152-314-4

Maryam Salour

Selected Works 1986-2018

Translated from and to French: Minou Moshiri, Houchang Esfandiar Chehabi, Yoland Momtaz, Mana Dehnad, Justine Landau | Translations from and to English: Minou Moshiri, Houchang Esfandiar Chehabi, Sohrab Mahdavi, Justine Landau | Persian Editing by Sayeh Eqtesadinia | Franch Editing by Yoland Momtaz | English Editing by Sohrab Mahdavi | Copy editing: Mohamad Reza Haeri, Sayeh Eghtesadinia, JeanTarabolsy, Niusha Milani , Sheida Dayani
Information collector: Leila Mofid | Art Director: Siavash Yazdanmehr | Graphic Design & Layout: Hamed Shabani Samgh Abadi | Photography: Saïd Behrouzi, Mohammad Seyed Ahmadian, Negin Abbasi, Homan Sadr, Naghmeh Ghasmlou,
Mohammad Arab, Mehrdad Seyed Ahmadian, Kaveh Seyed Ahmadian, Amin Davaei, Nastaran Fotouhi,
Arthur Ghilini, Hamid Eskandari, Sahand Behroozi, Nader Samavati, Ali Farbood
Printed by Nazar Art Publication | Pre-printed by Saeid Kavandi | Print Manager: Mehdi Ebrahim
First published in Tehran 2020 | ISBN: 978-600-152-314-4

Maryam Salour

Œuvres Choisies | Selected Works

1986-2018

A la mémoire de ma mère Naztab Salour qui, sans relâche, m'a soutenue et accompagnée tout au long de mon parcours. En souvenir de Soraya Kazemi Sepahi et Monir Abtahai. Avec toute ma reconnaissance à Faranak Salour et Zohreh Kazemi (Stenbolt) qui, depuis toujours, sont présentes à mes côtés dans les méandres de ma vie. Avec ma profonde reconnaissance aux collectionneurs dont l'aide et le soutien ont permis la publication de cet ouvrage. Jean Burkel et–Dr Arash Salour

In memory of my mother, Naztab Salour, who "took my hand, toddling step by step." In memory of Soraya Kazemi-Sepahi and Monir Abtahi. I am grateful to Faranak Salour , Zohreh Kazemi (Stenbolt) , for staying by my side through thick and thin. With my deep gratitude to the collectors whose support contributed to the publication of this book. Jean Burkel and Dr Arash Salour

Avec ma reconnaissance aux mes amis pour la traduetion et la révision:
Thanks and Gratitude for Translated and Edit to:

Houshang Esfandiar Shahabi, Sohrab Mahdavi, Vincent Rotge, Yoland Momtaz
Mana Dehnad, Justine Landau, Mohamad Reza Haeri, Sheida Dayani
Niusha Milani
Jean Tarabolsy

Avec ma reconnaissance : aux éditions Nazar
Thanks and Gratitude to : Nazar publication
à M. Bahmanpoor, Mr. Kavandi, Ms Hashemi, Roshanak Mafi

• Table des matières • Contents

Expositions individuelles

2017 - Pissenlit   galerie d'art Iranshahr Téhéran
2014 - Épouvantail, galerie Dastan's basement-Téhéran
2011-Un peu d'air frais et Épouvantail; Peintures, Sculptures, Photos et Video, Le Manoir de Cologny, Genève, Suisse
2010 - "Un peu d'air frais",galerie d'art Etemad, Téhéran, Iran
2009 - Simorgh ; Université de gestion de Lahore, (LUMS) Pakistan
2009 - Journal intime Homa Gallery, Tehan, Iran
2005 - St. Antony's College, Oxford. Royaume-Uni
2005 - Perplexité : Maison des Artistes de Téhéran," Téhéran, Iran
2004 - Galerie d'art Etemad, Téhéran, Iran
2003 - "Chahar Bagh,Le Rêve du Paradis Perdu" Centre Culturel Niavaran, Téhéran, Iran
2003 - "Chahar Bagh,Le Rêve du Paradis Perdu" Musée des Arts Contemporains, Isfahan, Iran,"Chahar Bagh,Le Rêve du Paradis Perdu"
2003 - "Chahar Bagh,Le Rêve du Paradi Perdu"La Résidence familiale des Ameri, Kashan,Iran
2002 - Association d'Études Iraniennes,
Washington D.C.,États-Unis,"Les Anges et Les Démons"
2001 - "La Métamorphose de la Terre"
Université d'État de l"Illinois, l'Illinois, États-Unis
2000 - La vision de la terre Centre Culturel Niavaran, Téhéran, Iran,
1999 - Jour et nuit, Galerie d'art Golestan, Téhéran, Iran
1997 - La Symphonie du Vol
Galerie d'art Arcade Chausse-Coqs, Genève, Suisse
1996 - La Symphonie du Vol Musée de Saad Abad, Téhéran, Iran
1994 - La Symphonie du Vol . Le Service de Coopération et d'Action Culturelle de l'Embassade de France en Iran, Téhéran (Section culturelle de l'Ambassade de France à Téhéran) à l'occasion du 100e anniversaire de Saint Exupéry.
1993 - Galerie d'art Golestan, Téhéran, Iran
1992 - Galerie d'art Classic, Isfahan, Iran
1991 - Galerie d'art Golestan, Téhéran, Iran
1989 - Galerie d'art Golestan, Téhéran, Iran
1987 - Atelier de l'artiste, Téhéran,Iran

Expositions collectives

2015 - Cassable Centre culturel de Niavaran, Téhéran
2015 - 3e Grand festival d'Art pour la paix, centre culturel de Niavaran, Téhéran
2014 - Salon d'Automne, Paris, Champs-Élysées France
2013 - Opera Gallery, Londres .Angleterre -
2013 - Opera Gallery Dubai Émirats Arabes Unis
2013 - Musée national d'Écosse, Édimbourg, Royaume-Uni
2012 - Les Hivernales de Paris-est, Palais des Congrès, Paris-Est Montreuil France
2011 - Musée national d'Écosse, Édimbourg, Royaume-Uni
2008 - Musée Pergame,Berlin,Allemagne
2002 - Galerie d'art Aryan,Téhéran,Iran
2001 - Galerie d'art Haft Rang,Téhéran,Iran
2000 - Musée d'Art Moderne,Caracas,Venezuela
2000 - Expo de Hanovre,Hanovre,Allemagne
1998 - Musée des Arts Contemporains,Téhéran,Iran
1997 - Galerie du Cerf,Paris,France
1996 - Musée des Arts Contemporains,Téhéran,Iran
1995 - Musée des Arts Contemporains,Téhéran,Iran
1994 - Musée des Arts Contemporains,Téhéran,Iran
1993. Galerie d'art Golestan,Téhéran,Iran,"100 artistes,100 oeuvres d'art"
1993 - "Foire internationale d'art Galerie d'art Seyhoun,-Téhéran,Iran.
1992 - Galerie d'art Golestan,Téhéran,Iran
1992 - Université de Georges Washington,Washington D.C.,États-Unis
1992 - Musée des Arts Contemporains,Téhéran,Iran
1988 - Musée des Arts Contemporains,Téhéran,Iran
2008 - Pergamon Museum, Berlin Allemagne
2002 - Aryan Art Gallery, Iran
2001 - Haft Rang Art Gallery , Téhéran Iran
2000 - Modern Art Museum , Caracas Venezuela
2000 - Hanover Expo, Hanover Germany
1998 - Museum of Contemporary Arts, Téhéran Iran
1997 - Cerf Gallery, Paris France
1996 - Museum of Contemporary Arts, Téhéran, Iran
1995 - Museum of Contemporary Arts, Téhéran, Iran
1994 - Museum of Contemporary Arts, Téhéran, Iran
1993 - Golestan Art Gallery , Tehran Iran "100 artists, 100 artworks"
1993 - "International Art fair" Seyhoun Art Gallery , Téhéran Iran
1992 - Golestan Art Gallery , Téhéran Iran
1992 - George Washington University , Washington D.C. U.S.A.
1992. Museum of Contemporary Arts, Téhéran, Iran
1988. Museum of Contemporary Arts, Téhéran, Iran

Solo exhibitions

2017 - *Dandelions*, Iranshahr Art Gallery. Tehran, Iran
2014 - *Scarecrows*, Dastan's Basement Gallery, Tehran, Iran
2015 - *A Little Fresh Air* and *Scarecrows*, Le Manoir de Cologny. Geneva, Switzerland
2010 - *A Little Fresh Air*, Etemad Gallery. Tehran Iran
2009 - *Simorgh*, Lahore University of Management Science (LUMS). Lahore, Pakistan
2009 - *Diary*, Homa Gallery. Tehan, Iran
2005 - Oxford College of San Antonio. Oxford, UK
2005 - *Perplexity*, Iranian Artist's Forum. Tehran, Iran
2004 - Etemad Art Gallery. Tehran, Iran
2003 - *Chahar Bagh, The Dream of Lost Paradise*, Niyavaran Cultural Center. Tehran, Iran
2003 - *Chahar Bagh, The Dream of Lost Paradise*, Contemporary Art Museum. Isfahan, Iran
2003 - *Chahar Bagh, The Dream of Lost Paradise*, Ameri's Family Residence. Kashan, Iran
2002 - *The Angles and the Devils*, Association for Iranian Studies. Washington D.C., U.S.A.
2001 - *Metamorphosis of the Earth*, Illinois State University. Illinois, U.S.A.
2000 - "Experiencing The Earth," Niyavaran Cultural Center. Tehran, Iran
1999 - Golestan Art gallery. Tehran, Iran
1997 - *Symphony of Flying*, Arcade Chausse Coqe. Geneva, Swiss
1996 - *Symphony of Flying*, Sa'dabad Museum. Tehran, Iran
1994 - *Symphony of Flying*, Cultural Section of the Embassy of France. Tehran, Iran
- *Symphony of Flying* (for the 100th Anniversary of Saint Exupéry), French Cultural Service. Tehran, Iran
1993 - *Day and Night*, Golestan Art Gallery. Tehran, Iran
1992 - Classic Art Gallery. Isfahan, Iran
1991 - Golestan Art Gallery. Tehran, Iran
1989 - Golestan Art Gallery. Tehran, Iran
1987 - Artist Workshop. Tehran, Iran

Group exhibitions

2015 - *Breakable*, Niavaran Cultural Center. Tehran, Iran
2015 - 3rd Grand Festival of Art for Peace, Niavaran Cultural Center. Tehran, Iran
2014 - Salon d'Automne, Champs-Élysées. Paris, France
2013 - Opera Gallery. London, UK
2013 - Opera Gallery. Dubai, UAE
2013 - National Museum of Scotland. Edinburgh, UK
2012 - Hivernales de Paris-Est-Montreuil (Palais des Congrès). Paris, France
2011 - National Museum of Scotland. Edinburgh, UK
2008 - Pergamon Museum. Berlin, Germany
2002 - Aryan Art Gallery. Tehran, Iran
2001 - Haft Rang Art Gallery. Tehran, Iran
2000 - Modern Art Museum. Caracas, Venezuela
2000 - Hanover Expo. Hanover, Germany
1998 - Tehran Museum of Contemporary Art. Tehran, Iran
1997 - Cerf Gallery, Paris France
1996 - Tehran Museum of Contemporary Art. Tehran, Iran
1995 - Tehran Museum of Contemporary Art. Tehran, Iran
1994 - Tehran Museum of Contemporary Art. Tehran, Iran
1993 - *100 Artists, 100 Artworks*, Golestan Art Gallery. Tehran, Iran
1993 - International Art Fair, Seyhoun Art Gallery. Tehran, Iran
1992 - Golestan Art Gallery. Tehran, Iran
1992 - George Washington University. Washington D.C., U.S.A.
1992 - Tehran Museum of Contemporary Art. Tehran, Iran
1988 - Tehran Museum of Contemporary Art. Tehran, Iran
1992 - Georges Washington University. Washington D.C., U.S.A.
1992 - Tehran Museum of Contemporary Art. Tehran, Iran
1988 - Tehran Museum of Contemporary Art. Tehran, Iran

Oeuvres d'art achetées par des organisations publiques

2015 - Museum Fünf Kontinente, Munich.Allemagne
    - 2 Photos de *Épouvantail*

2011 - Le Manoir,de Colongy Geneva,
    Suisse
    - 4 Photos de *Épouvantail*

2011 - Musée National de l'Écosse,Royaume-Uni;
    - sculpture céramique de la série "Le Démon et l'Ange"
    - pièce en céramique de la série "Les Coquelicots de la Vallée de Lar"

2005 - St Antony's College,Oxford,Royaume-Uni
    - sculpture céramique "Ange"

2003 - Centre Culturel Niavaran,Téhéran,Iran
    - sculpture céramique "Le Démon Rêvant d'Un Ange"

2001 - Centre Culturel Niavaran,Téhéran,Iran
    - 3 Sculptures en céramiques:"Buddha" et 2 sculptures sans titre
    - peinture"Derakht-ha-ye afra dar nimeh shab"(Les Érables à Minuit) de la série " Observation de la Terre"
    papier mâché+Oxydes métalliques +/Encre noire

2001 - Musée des Arts Contemporains,Téhéran,Iran
    - peinture "Iran" de la série " Observation de la Terre
    papier machè+Oxydes métalliques +/Encre noire

1997 - Fonds Cantonal de Décoration et d'Art Visuel de l'État de Genève,Genève,Suisse
    - sculpture en céramique sans titre

1995 - Musée d'Artisanat,Téhéran,Iran
    3 pièces en céramique:
    - "Parvaz"(Le Vol)
    - "Afarinesh 2"(La Création 2)
    - "Rahaee"(La Délivrance)

1994 - Musée des Arts Contemporains,Téhéran,Iran
    - Pièce en céramique "Eshragh" (L'Illumination)

1993 - Centre Culturel des Calligraphes BouAli,Téhéran,Iran;
    2 œuvres :
    - Carreaux muraux   Afarinesh" (La Création)
    - sculpture céramique "Zaman" (Le Temps)

Art works purchased by public organizations

2015 - Museum Fünf Kontinente, Munich. Germany
    - *Scarecrows*, 2 images
2011 - Le Manoir, Colongy. Geneva, Switzerland
    - *Scarecrows*, 4 images
2011 - National Museum of Scotland, UK
    - "The Devil & Angel" and "Valley of Lar" (from *Poppies Series*), ceramic pieces
2005 - St. Antony's College Oxford, UK
    - "Angle," ceramic sculpture
2003 - Niyavaran Cultural Centre, Tehran, Iran
    - "The Devil Dreaming of an Angle," ceramic sculpture
2001 - Niyavaran Cultural Centre, Tehran, Iran
    - "The Buddha" and two "Untitled," ceramic pieces
    - "Derakht-ha-ye afra dar nim-e shab" ("Maple trees at midnight" from the *Earth Observation Series*)
2001 - Tehran Museum of Contemporary Art, Tehran, Iran
    - "Iran"(from the *Earth Observation Series*)
1997 - Fonds Cantonal de Decoration et d`Art Visual de l`Eta-rt Geneve, Geneve Switzerland
    - "Untitled," ceramic sculpture
1995 - Hand Craft Museum, Tehran, Iran
    - "Flight," "Creation 2," "Freedom," 3 ceramic pieces
1994 - Tehran Museum of Contemporary Art, Tehran, Iran
    - "Enlightenment," ceramic piece
1993 - Bou Ali Calligraphers' Cultural Centre, Tehran, Iran
    - "Big Bang," ceramic wall
    - "Time," ceramic sculpture

Je suis née le 24 septembre 1954, sous le signe du vent, de parents jeunes et pleins de vie. Ma famille cultivée et amatrice d'art fut un cadre propice à mon développement personnel. Je ne me rappelle pas avoir appris grand-chose à l'école ; tout ce qu'il fallait savoir, je le trouvais à la maison. Là, il y avait le jardin avec ses arbres, son ruisseau, ses hérissons, ses grenouilles...et l'émerveillement de vivre avec tout ce qu'on y trouvait.

Les passe-temps de mon grand-père étaient la photographie et l'écriture de petits articles satiriques pour la presse ; ma grand-mère était cultivée et avait des velléités littéraires ; mon oncle maternel était écrivain. Ma mère était institutrice, une intellectuelle, comme sa sœur jumelle qui était une artiste et ingénieure textile. La famille était grande ; pleine d'oncles, tantes et cousins, et nous vivions tous dans le même quartier, dans des maisons voisines. Naturellement nos vies s'accompagnaient de causeries et d'histoires.

Notre principale inspiration était la mère de mon grand-père, Mme Maryam Amid, l'une des premières journalistes et activistes femmes d'Iran. Elle continue d'être une source d'inspiration intarissable pour moi.

Je n'ai jamais connu mon père, et tout ce que je sais de lui vient de quelques photos et des récits que l'on m'a rapportés à son sujet. J'ai toujours regretté ne pas avoir rencontré cet homme extraordinaire toujours plein de verve et qui est mort si jeune. A l'école, je n'étais pas bonne élève ; tout ce qui était obligatoire me déplaisait. Par contre, j'aimais beaucoup la lecture. J'aimais apprendre des choses librement. D'une certaine façon, je n'avais pas de choix : à la maison tout-le-monde lisait des livres tout le temps.

Après mon baccalauréat, je suis partie pour Londres, où je me suis inscrite dans une école d'informatique pour étudier les systèmes opérationnels. Mais pendant tout mon séjour londonien, je ne pensais qu'à Paris. A cette époque Londres me paraissait être une ville trop tranquille où régnait une grisaille permanente, tandis qu'à Paris il y avait le soleil et une foule d'animations : le cinéma, les galeries d'art, le théâtre, la mode... Dans les quartiers et les cafés il y avait un va-et-vient permanent.

C'est ainsi que j'ai fini par vivre à Paris durant quatorze ans. Au début j'ai essayé tant bien que mal de continuer ma formation en informatique. Ma mère me disait, dans ses lettres, que l'informatique n'était pas pour moi et que je devais m'orienter vers les arts. Mais malgré l'amour que je portais à la chose artistique et malgré les longues heures que j'avais passées durant mon enfance à dessiner ou à construire des maisons, je n'avais pas assez confiance en moi pour essayer d'entrer à l'Ecole des Beaux-Arts. Pour être honnête, je craignais aussi m'ennuyer aux cours de dessin. A cette époque le peintre Iradj Karimkhan Zand, un ami d'enfance, se trouvait aussi à Paris, et il me disait que mes dessins étaient suffisamment bons pour me permettre d'intégrer cette prestigieuse école ; pourtant quelque chose m'empêchait de tenter ma chance. Peut-être la peur d'échouer ? Je ne sais pas.

La fin de mes études coïncidait avec le début de la Révolution en Iran et ma mère ne pouvait plus m'envoyer d'argent. Pour survivre, je faisais des petits métiers, de

la garde d'enfants à la fabrication de bijoux. Je dessinais de petits arbres, et vendais mes dessins sur les trottoirs du Boulevard Saint-Germain, aux côtés d'Iradj et d'autres étudiants en art. Ce fut une des meilleures périodes de ma vie, car je me sentais libre et indépendante.

A cette époque j'ai aussi commencé à travailler pour une maison d'édition franco-libanaise, Al-Khayat. Cette dernière imprimait des Corans, et comme certaines éditions contenaient des erreurs typographiques, je les corrigeais. Au bout d'un certain temps j'ai été nommée chef d'atelier, et par la suite ils m'ont confié la responsabilité des choix typographiques et la disposition des pages de leurs Corans. Cette première véritable expérience m'a permis de pénétrer plus profondément le monde artistique. Mais comme je cherchais toujours à faire des choses nouvelles, j'ai quitté cette maison d'édition la tête pleine de bons souvenirs.

Pendant que je trainais à Paris sans emploi ni perspectives, j'ai découvert l'atelier de Maître Savigny. J'y suis entrée, et ma vie a complètement changé en un instant. J'avais l'impression d'avoir enfin trouvé mon chemin.

Je n'oublierai jamais l'odeur de l'argile et l'aspect tranquille des vases et sculptures en céramique rangées sur les étagères qui m'entouraient. Ces formes simples et innocentes m'ont ensorcelée. Et la fascination perdure des décennies plus tard.

Quand je déposais mes mains sur l'argile, la pensée s'évadait et le temps s'arrêtait. Un autre monde s'ouvrait à moi et, comme dans mon enfance, je me jetais tête baissée dans ce que je faisais. Les anxiétés s'éloignaient pour faire place à la liberté et la tranquillité. Rien ne s'accomplissait d'un seul jet. Les graines étaient plantées afin de fleurir le moment venu. Je façonnais des formes simples et innocentes, et j'étais à mon tour façonnée par elles.

Après mon retour en Iran j'ai pu établir mon propre atelier avec l'aide de mon mari, et j'ai commencé à travailler. Au même moment, mon enfant grandissait en moi, et moi je mûrissais avec l'argile. La naissance de ma fille a donné un nouveau sens à ma vie. Comme l'argile que l'on pouvait trouver dans ces années-là à Téhéran ne subvenait pas à mes besoins, j'ai commencé à faire des recherches à l'aide de livres que nous commandions dans le monde entier. Après un certain temps, j'ai trouvé ce que je cherchais, à savoir le secret de la fabrication de l'argile blanche à partir d'ingrédients que l'on pouvait trouver en Iran. Et petit à petit, j'ai commencé à fabriquer mes propres couleurs et émaux.

Rien ne se fait d'un coup de baguette magique. Les graines sont semées et, en temps voulu, les jeunes poussent commencent à germer. A travers mes mains, les formes sont apparues avec facilité et elles m'ont façonnée à leur tour.

Maryam Salour
Octobre 2017

I was born under the wind element on Saturday 24 September 1954 at 7 am from young and joyful parents, both steeped in culture and art. I do not recall having picked up anything in school. Whatever I needed to learn could be found at home: a garden with trees, porcupines, toads, and a running stream in which the mystery of life beamed. My grandfather's hobby was photography and writing satirical pieces for a newspaper. My grandmother was erudite, my uncle a writer, my mother a school teacher, an artist, and an intellectual, and my aunt – my mother's twin – an artist and a weaver. Ours was a large family, teeming with aunts and uncles, us being their daughters and sons, and we all lived in a single neighborhood next to each other. Our lives were buzzing with stories.

My grandfather's mother, Maryam 'Amid, one of Iran's first female journalists and social activists, was an inspiration to the family. She is still an inspiration to me. I never knew my father directly, only through stories told and pictures shown of him. I regret not having met this special man who lived bright and died young.

I was not a good student. I didn't like being forced into doing things. I was, however, attracted to books early on. It could be that I had little choice over that – everyone in the immediate family was into them. When I finished high school, I went to London. I studied operating systems at a computer science school. My heart was in Paris, though. To me, back then, London was an overcast, grey city. Sunnier Paris, on the other hand, was full of happenings: films, exhibitions, plays, fashion shows, cafés, and busy neighborhoods. Paris was where I landed 9 months later and lived for the next 14 years. At first, with much too much labor, I continued with computer science. "Maryam," my mom wrote me in a letter, "computers are not your thing. Study art, instead." I loved the arts (I spent all day drawing or building houses in childhood) but I had no patience for tedious drawing classes. I didn't have the confidence to move in that direction. Back then, the late Iraj Karimkhan Zand, a long-time friend, who was also in Paris at the time, would assure me that my drawings were good and that I had it in me to land in art school. But something kept me from trying, perhaps my fear of not being accepted.

My graduation coincided with the revolution in Iran. My mother could no longer afford to support me. I started earning money by making jewelry and babysitting, among other things. I painted small trees and sold them on the sidewalks of the Boulevard St. Germain, the way Iraj and other art students did. My paintings sold well. This was the most fulfilling period in my life. I felt independent and free. I started working as a copy editor and a calligrapher at a Lebanese-French publishing house called "Khayat Publishing" specializing in printed Korans. My work slowly expanded. I became the supervisor of the workshop. A little later, I was given the task of choosing styles of calligraphy and layout of Korans. This was a doorway into the world of art. Since I was always on the move, I ended my stint at the publishing house after several years with wonderful memories. I was out of jobs for a while when I stumbled upon the studio of Maître Savigny. I got into his studio and my life changed for good. I had stepped onto the right path. I shall never forget the quiet world of the shelves on which the vases laid and the aroma of clay the first day I entered the pottery and

sculpture studio of Maître Savigny. Those innocent and simple shapes enchanted me. That feeling is still with me. My hands touched clay, my mind turned quiet, and time stopped. A new world opened and once more – as in childhood – I was one with what I was doing. Confusion was at bay, freedom and peace moved in.

Upon my return to Iran, I set up my own pottery studio with the help of my husband. My daughter was growing in me as clay took shape in my hands. With the birth of Nargess, life took on a new meaning, and it made me complete on a different plane. Since the clay available in those days in Iran did not meet my expectations, I started researching. I read books on various ceramic cultures. After a while, I came up with my ideal white clay, whose ingredients could be found in the mines of Iran. Later, I gradually made colors and glazes of my own.

Nothing comes about at once. Seeds are sowed and, in due time, saplings start to sprout. Under my hands, shapes came about with ease and they shaped me in turn.

Maryam Salour
October 2017

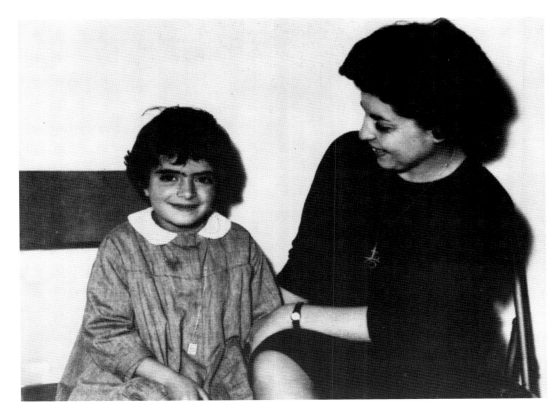

مریم سالور و مادرش نازتاب سالور
دوم دبستان اشرف پهلوی | ۱۳۳۹

Maryam Salour avec sa mere
Naztab Salour
Maryam Salour with her
mother Naztab Salour | 1960

Une dialogue

Siavash Yazdanmehr
Printemps 2018

Lors de la Cinquième Biennale de la Céramique et du Verre au Musée des Arts Contemporains de Téhéran, tout le monde a créé des bols et statues, mais vous, vous avez créé un mur. Comment êtes-vous arrivée à cette forme?

J'aime les murs, aussi bien pour leur forme que leur esprit, car ils ont deux fonctions à la fois : faire obstacle et protéger. En même temps, j'aime réduire un objet de trois à deux dimensions, en allant du volume à la surface. J'aime ce jeu et la texture des toiles. J'ai créé ce mur parce qu'à ce moment-là, toute création artistique se heurtait à un mur. C'est donc au travers de sentiments inspirés par la société que le mur est apparu. Je l'ai réalisé et ensuite nous l'avons installé là-bas. Je lui ai donné comme titre « Le mur ... un rêve carré ».

Votre mur n'avait donc aucun lien avec l'architecture iranienne ?

Si, il y avait certainement un lien. On ne peut pas vivre dans un pays dont l'architecture est si belle et si puissante sans en être influencé. Mais, dans ce cas précis, j'ai eu cette idée parce que je vivais dans cette société. En plus, j'aime vraiment cette forme. J'ai toujours voulu réaliser une série de murs dans un parc. Toutefois, je n'ai jamais cherché à être active dans la ville et n'ai jamais eu de contacts avec la municipalité. En fin de compte, je n'ai pas réussi à mener des activités sociales autant que j'aurais aimé.

Revenons à votre mur : avez-vous essayé de vous distinguer des autres potiers?

Non, je n'ai pas du tout pensé à ce que les autres pouvaient penser de moi. Ma seule préoccupation était ma propre personne ; je ne m'occupais pas des autres artistes et je ne me comparais pas à eux. De telles comparaisons sont certes plausibles mais je préfère les laisser à autrui. Mes œuvres ne reflètent que ce qui se passe au niveau de mon esprit et de mes sentiments. C'est d'ailleurs cela qui détermine si j'entreprends un travail ou pas.

A dialogue

Siavash Yazdanmehr
Spring 2018

At the Fifth Ceramic and Glass Biennial at the Tehran Museum of Contemporary Art (TMoCA), while everyone had made sculptures or ceramic forms, you created a clay wall. How did you arrive at this form?

For one thing, I like walls – their form and their spirit – being at once deterrent and protective. For another, I was amused by the idea of turning a three-dimensional form into two-dimensions. The texture formed by clay tiles also fascinated me. I made that particular wall for everyone to interact with, as if they were facing a *tabula rasa*. It came to me in the museum setting. I made it in my studio and we installed it at TMoCA. I called it: "Wall... the Quadrangular Dream."

So, your wall had nothing to do with architecture?

You can't live in a land so rich with architectural lore and not be influenced by it. The idea of this wall, however, came to me in a park. But I never went after urban works and never tried to approach anyone in the municipality. In general, I have not been able to take my work to public spaces in Iran.

Let us return to your wall. Have you ever thought that you may be distinguishing yourself from other potter-artists?

I am never worried about what others may think. I have always focused on my own preoccupations. I have also not been following the works of other artists much. I have never wanted to compare my own work to that of others. Such comparisons may naturally come up, but usually they are pointed out by outsiders. I have my curiosities and things happen to me, in my mind and in my body. Such concerns are decisive in my work – whether or not to start a project.

Anyway, it was a courageous work.

Courage is part of my genetic make-up. Perhaps it is an inheritance from a previous birth. The same is true for

دیوار، رؤیای چهارگوش | موزه‌ی هنرهای معاصر تهران | سفال رنگی | ۱۳۷۷ ‹

Le Mur, Le Rêve Carré | Musée d'art Contemporain de Téhéran | Terre Cuite Colorée
Wall: Square Dream (Four Corners of A Dream) | Tehran Museum of Contemporary Art | Colored earthenware
280 x 120 x 25 cm | 1998

En tout cas, c'était courageux de votre part.

Le courage fait partie de mon être ou, peut-être, l'ai-je hérité de mes vies antérieures... En plus, je dois avouer que je me lasse très vite des travaux répétitifs. Il paraît que, quand j'étais enfant, après avoir joué à cache-cache trois ou quatre fois, j'en avais assez et passais sans attendre à un autre jeu. Les répétitions m'ennuient. En tout cas, c'était un événement dans le monde de la céramique, et il se peut que le fait que je sois devenue moi-même directrice de la Huitième Biennale en ait été une conséquence.

À ce moment-là, quel était le regard extérieur sur votre œuvre ?

Je ne sais pas.

Quels étaient les regards des autres artistes ?

Je n'avais que peu de contacts avec eux. La personne avec qui j'avais les rapports les plus étroits était Iradj Zand, à qui me liait une très ancienne amitié. Iradj m'encourageait beaucoup. Quand je m'ennuyais à Paris, je composais des poèmes, et je les illustrais avec des nuages et des oiseaux, des arbres et des fenêtres. Iradj n'arrêtait pas de me dire : « Oublie l'informatique ! Tes dessins sont suffisamment bons pour t'ouvrir les portes de l'Ecole des Beaux-Arts ». Quand je suis rentrée en Iran, Iradj a continué à m'encourager. Parfois il me disait que je travaillais trop. En fait, j'ai compensé mon manque de formation académique en travaillant beaucoup dans l'atelier. Mais il faut aussi dire que c'est justement à cette absence de formation académique que je devais ma liberté et mon audace.

Est-ce que vous vous inspiriez mutuellement ?

Oui, nous nous soutenions à tous les niveaux : idées, bien sûr, mais aussi sur le plan moral et amical de deux artistes dans la société. Cela nous arrivait même de dépanner l'autre financièrement. Iradj était celui dont l'opinion m'importait le plus. Et cela parce qu'il était très éduqué. Quand j'ai commencé à faire mes oiseaux, un jour dans son atelier j'ai vu mes oiseaux dans un de ses tableaux. Furieuse, je lui ai lancé : « Mais ce sont mes oiseaux à moi ! » Il m'a répondu : « Et alors ? C'est ça, l'art : je me laisse inspirer de toi, et toi, tu t'inspires de moi.» Sa sérénité m'a été une leçon. Si mes oiseaux venaient des perroquets qui volaient au-dessus de mon atelier, il arrivait que les corps qu'on voyait dans

آتلیه‌ی ساوینی | پاریس | ۱۳۶۴
Atelier Savigny | Savigny Studio
Paris | 1985

my dislike of repetition. When I was a child, I'd stop playing hide-and-seek after a few rounds and would rather go play my own game. Repetition tires me. The wall turned out to be an event (I realized this when I was Artistic Director of the 8th Ceramic and Glass Biennial).

How were your works seen from the outside?

I have no idea.

How did other artists receive your work?

I was in touch with other artists but not too much. The artist I most associated with was Iraj Zand. He was an old friend who encouraged and supported me over the years. Getting homesick in Paris, I would start writing poems and draw trees and windows to boot. "Let it go, Maryam," Iraj would tell me, "you have all you need to enter the École des Beaux-Arts." When I returned to Iran, Iraj was a great supporter. He would tease me for working incessantly. I was trying to make up for a lack of academic knowledge at the same time that I saw how this lacuna made me more daring.

Would you exchange ideas with Iraj Zand?

Plenty! We would help each other in every way, professionally and as friends. When I made my first birds, Iraj saw them and next time I went to his studio I saw my birds in his paintings. I was offended: "Iraj, these are a carbon copy of my birds!" "Yes, so what," he said, as if it was the most natural thing in the world, "this is what art is about. I get ideas from you and you get ideas from me." He dealt with it in a way that I learned from him. If my parrots where inspired by the screeching ones flying over my studio, I would also get inspired by bodies in Iraj's paintings, which appeared here and there in my work. There was nothing wrong with it. His influence was such that when Nafiseh Riyahi, who was a painter with keen eyes, saw my tablets, she thought they were done by Iraj, even though they were cruder than what Iraj would do. Iraj was a seasoned artist. He had been painting and drawing since childhood. My works were raw, and it was perhaps because of this that they were attractive – *l'art brut*, as they say in France.

***The Symphony of Flying* was the first series in which human figures appear in your work, but all the figures are incomplete. You see part of a body in some of these works and in others, even before they emerge, they**

les tableaux d'Iradj apparaissaient aussi quelque part dans une de mes œuvres. Et cela n'avait aucune importance. Son influence sur moi était telle que quand Nafiseh Riahi – qui était elle-même peintre et avait un œil très aiguisé – a vu un de mes premiers bas-reliefs, elle pensa qu'il était d'Iradj bien que mes œuvres soient beaucoup plus crues que les siennes. Lui, c'était un artiste très mûr qui a peint dès l'enfance. Mes œuvres, elles, ont une certaine crudité, et peut-être est-ce cela qui en fait le charme. En France on appelle cela « art brut ».

La « Symphonie du Vol » constitue la première série de vos œuvres où apparaît la forme humaine, mais la plupart des figures sont incomplètes. Parfois, on voit seulement une partie du corps ou encore la figure n'est qu'à demi formée. Pour moi, ces figures font penser à une métamorphose. Pouvez-vous me parler un peu de cette période ?

C'était une période où je me cherchais. Vous avez raison de parler de métamorphose. Je passais des formes céramiques simples à des formes plus complexes. A l'École Savigny, je n'avais pas eu les moyens de me payer des cours de sculpture, et, par conséquent, j'ai dû me former moi-même. Il y a donc des faiblesses dans ces sculptures mais aussi des points forts.

Quelle était la source de votre inspiration à cette époque ?

Mon propre corps, les oiseaux, et le corps de mon enfant, avec qui j'avais à faire tout le temps. Et, bien sûr, les perroquets qui allaient et revenaient en criant fort.

Est-ce que cette période de la « Symphonie du Vol » a été financièrement un succès ou est-ce que la qualité mitigée de vos œuvres a affecté vos ventes ?

Cela dépend comment on définit le succès. Jamais, dans ma vie, je ne me suis assigné des buts à atteindre. Je voyais juste une voie que je devais suivre. D'ailleurs, je pense que tout artiste honnête perçoit un tel chemin qu'il se sent obligé de suivre. Mes œuvres se sont toujours bien vendues, à tel point que j'ai pu acquérir celles d'autres artistes. Mais cette fois, c'est le contraire qui s'est produit.

Toute personne qui se cherche peut avoir des déceptions. En a-t-il été ainsi pour cette période ?

Oui. Je ne dirais pas que cela a été un échec, mais une déception, oui. J'ai fait une exposition à Saadabad, et

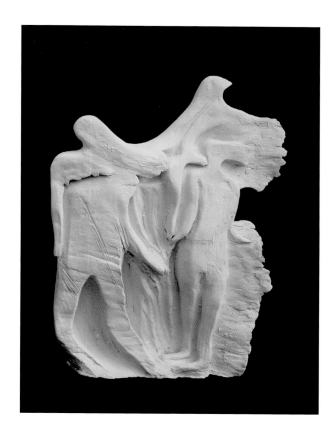

زن- پرنده | سفال | ۱۳۷۴
La Femme-Oiseau | Terre Cuite
Woman-Bird | Earthenware
33 x 22 x 9 cm | 1995

freeze. For me, these works are like a metamorphosis. Can you speak a little about this series?

This was one of the most important periods in my career. You mention "metamorphosis" and you are right. I was moving from simple ceramic forms to more complex ones. Because I did not have enough money, I didn't finish the Savigny Studio courses in sculpture; as such, I had to work on my own, and there are weaknesses and strengths in this series.

What was your source of inspiration in this period?

My own body, birds, and my little daughter's body, the same shrieking parrots mentioned earlier, these were all inspirations.

Were you financially successful in this period?

It depends on how you define success. I never felt that I scored. It was a path that I had to take. I think every artist has her/his own path and needs to recognize it. My works were always popular, to the point that I would buy works of other artists. But with *The Symphony of Flying* financial success didn't come.

Every wayfarer may at some point feel dejected. Was this the case with you?

Yes, it was. I can't say that it was a defeat, but I felt dispirited. The exhibition venue was Sa'dabad Palace Museum. An acquaintance who visited the show commented that mine weren't sculptures at all. Defining what constitutes a sculpture is irrelevant to me. What is important is expression, of feelings and sensations. I remember being greatly disappointed because I had not sold. My works were so unconventional that the Sa'dabad Museum charged me for the exhibit, arguing that they couldn't count on returns.

After this exhibit I fell into a depression, but I had to take this road, and I did. I am grateful. Now, everyone is after these sculptures and I don't make them any longer. Working with clay is no longer possible for me, physically and spiritually. I have other ideas with other material.

So you see yourself ahead of your viewers?

The creative mind is forward-looking. It is a question of awareness and recognition. Being an artist is a difficult and complex affair. Your ideas have to be thought through. Society would be different if everyone acted in this way.

un ami peintre m'a dit : ce ne sont pas des sculptures, elles n'ont pas de volume. Pour moi, quand une œuvre a même deux millimètres d'épaisseur, elle a un volume. En fin de compte, je n'aime pas ces classifications : ceci est un volume, cela une surface. Pour moi, l'essentiel est l'expression, celle des sentiments et des humeurs d'une personne. Je me souviens avoir été dépitée car je n'ai rien vendu. En plus, mes œuvres étaient si peu communes que le musée a fini par me demander de régler les frais de mon exposition, ajoutant qu'ils ne comprenaient rien à mon art. Après l'exposition, j'ai fait une dépression. Avec le recul, je pense qu'il fallait que je prenne ce chemin et je l'ai pris, Dieu merci. Maintenant qu'il y a une demande pour ces sculptures, je n'en fais plus… ! En effet, il ne m'est plus possible de travailler l'argile de cette manière. J'ai d'autres idées, avec d'autres matériaux.

Vous vous croyez donc en avance sur vos interlocuteurs ?

Sans doute. Il est certain qu'un esprit créateur est toujours novateur. Ce qui compte, c'est l'intelligence et la conscience. Etre une artiste est compliqué, exigeant et important. De manière générale, il faut une certaine dose d'excellence pour être un bon artiste. Si la société était ainsi faite, le monde serait certainement dans un meilleur état.

Vos œuvres céramiques, et surtout vos visages, ressemblent un peu à celles de Brancusi. Est-ce que vous vous sentez influencée par lui ?

Je ne savais pas comment façonner des yeux et des lèvres, qui sont pourtant d'une grande importance dans un visage humain puisque ce sont eux qui dévoilent tous les états d'âme d'une personne. Mais c'était très ardu pour moi d'y parvenir tant sur le plan de la technique que de l'expression. En plus, ce n'était pas ma façon à moi de m'exprimer. J'ai donc préféré le faire avec le corps entier et la forme de la tête. Ainsi mes sculptures ont revêtu un aspect abstrait et un peu mystérieux. Je les préférais ainsi. Elles revenaient à la naïveté de mes premiers pas… Un jour, un ami architecte m'a dit que mes sculptures ressemblaient en effet à celles de Brancusi, et c'est seulement à ce moment-là que je me suis souvenue de cet artiste.

Avez-vous choisi de vivre en Iran ou avez-vous été obligée ?

Les deux. Tout de suite après les tourmentes de la révolution, la guerre avait éclaté entre l'Iran et l'Irak. Le pays

صورت | پلی استر، پودر سنگ و اکریلیک | ۱۳۷۷ >
Visage | Polyester, Poudre de Pierre, Acrylique
Portrait | Polyester, stone powder, acrylic
26 x 35 x 17 cm | 1998

الهه‌ی خفته | کنستانتین برانکوزی| مفرغ | ۱۲۸۹ ∨
Constantin Brâncusi | Muse Endormie
Constantin Brâncusi | Sleeping Muse | Bronze | 1910

Especially with your ceramics and portraits, we see a resemblance to Constantin Brâncusi. Were you inspired by his works?

I couldn't execute the form of lips and eyes that play so essential and important a role in the human face. It was difficult for me to give them life, both in terms of technique and, more importantly, expression. I vied for the general form of the body to do that. They would acquire a mysterious and abstract quality. One day, when an architect friend saw them, he mentioned their resemblance to Brâncusi's sculptures. I started paying attention to and submerging myself in the works of Brâncusi then and there. I made use of his techniques more consciously.

Did you choose to live in Iran or did you feel you were forced to?

I was forced to, like many others in this society. I still ask myself where I can go and live, but I draw a blank. I know deep down that this place – Iran – is the best place I can live in. What can I do if I go abroad? How would I define things for myself?

Because of the difficulties of working in this society, many of your peers felt like they weren't understood. They emigrated.

I never felt that I was not understood here. To the contrary, I am well understood. By doing what I do I realized that my fellow Iranians are sensitive and delicate. Most difficulties in my line of work are caused by a small group of people in power. At my exhibition in the city of Kashan, early in the morning, a young couple came with their child; when they saw pieces of mirror on the ground, they asked why those mirrors were there and whether they reflected the sky. It was interesting to me that they were trying to connect with the work. These were ordinary people, without an academic education or credentials. The problem lies with those occupying positions of power. I should also add that the head of TMoCA and heads of government departments have always been welcoming.

In other words, you see the pressure coming from society?

I have no idea where the pressure comes from, but the heads of government offices and the Museum have always been courteous to me. They focused on my work. But when

était agité, et ma mère l'était aussi. C'est alors que j'ai fait un court voyage en Iran. En apparence, la situation à Téhéran était calme et les gens vaquaient à leurs occupations quotidiennes. Mais derrière la façade de normalité on sentait la peur et l'anxiété. C'était pendant que je me trouvais à Téhéran que la première bombe a frappé la ville. Elle a détruit une maison tout près de chez nous, anéantissant la famille qui l'habitait. J'étais l'une des premières personnes à accourir sur les lieux de la tragédie. On ne voyait rien, on entendait seulement le craquement sinistre des murs qui s'effondraient. Je ne me souviens plus si j'avais peur ou non tellement j'étais ébranlée. Quelques jours plus tard, j'ai dû repartir à Paris : j'y travaillais et j'y avais des responsabilités. A mon retour, je ne supportais plus cette belle ville avec ses habitants qui, pensais-je, vivaient heureux loin de la violence. Mais la solitude de ma mère a été la raison principale de mon retour en Iran. Cela fut une très bonne décision puisqu'elle m'a amenée à changer de carrière et devenir une artiste professionnelle. Parfois il m'arrive encore, comme cela arrive à beaucoup de gens en Iran, de me demander où je devrais aller vivre. Mais j'arrive toujours à une impasse, car, au fond de mon âme, je sais très bien que c'est ici en Iran, dans mon pays, que je suis le mieux. Comme cet érable qui pousse si bien ici. Si j'émigrais, qu'est-ce que j'aurais à dire ? Qu'est-ce que je devrais exprimer ? Pourtant, je me sens chez moi en France aussi. J'y ai vécu longtemps et j'aime sa culture. Votre patrie se définit parfois par l'endroit où vous êtes né, où vous avez grandi, et parfois par le tempérament et le comportement des habitants d'un autre lieu. On peut bien avoir deux patries.

Beaucoup de gens de votre génération, voyant que les conditions de travail ici étaient difficiles et que la société ne les comprenaient pas, ont émigré.

Je n'ai jamais eu l'impression qu'on ne me comprend pas ici – au contraire, on me comprend très bien. Mon travail m'a permis d'apprécier la finesse et la sensibilité de mes compatriotes. Si j'ai pu avoir un petit problème ici et là, cela a toujours été à cause de certains fonctionnaires à l'esprit mesquin. Quand j'ai organisé une exposition à Kashan, par exemple, un homme est venu très tôt le matin avec sa femme vêtue d'un tchador et leur enfant, et quand ils ont vu mes miroirs sur le sol,

در حال نصب مجسمه‌ی زمان | باغ علا (انجمن خوشنویسان) | ۱۳۷۱

Le Jardin Ala | En Installant la Statue Temps
Ala Garden (Association of Calligraphers of Iran) | In-
stallation of Time | 1993

the Museum archivist announces that my works cannot
be kept since they have been made with cardboard – he
meant my *Seeing the Earth* that the head of TMoCA had
earmarked for purchase – his comments were enough
for the procurement official to say that from the three
works that they had earmarked, they would only pur-
chase one at full price. For the past twenty years, a work
of mine called *Iran* has been in the museum storage but
it has never been shown in an exhibit.

**Your works are in a way outside of time. There is a
sculpture in the garden of the Association of Callig-
raphers called *Zaman* ("Time"). Can you tell us a little
about this work?**

Time is a major preoccupation of human beings. We
cannot figure out what Time is, what the past is, what
the future is. They are too interrelated. So there is noth-
ing that you can hold on to. The only reality is the pres-
ent, which we seldom find ourselves in. We experience
timelessness in the present moment. I experience the
present more intensely when I concentrate on some-
thing. We can discover new forms when we concentrate.

How come you called it *Time*?

That garden was set aside for an office for Women's
Studies and that's why I was commissioned to create a
piece of art for it. I built a wall called *Creation* and a sculp-

ils m'ont demandé ce que j'avais voulu dire et pourquoi je voulais montrer le reflet du ciel dans un miroir. J'ai trouvé intéressant que ces gens sans prétention, ni universitaires ni intellectuels, aient voulu établir un contact avec moi et mes travaux. Les obstacles qu'on rencontre dans ce pays ne sont pas nécessairement créés par les directeurs de musée et les responsables du gouvernement, car ceux-ci m'ont toujours encouragé.

Vous voulez dire que les pressions venaient de la société ?

Non, mais le fait est qu'il y a des mains invisibles qui avancent leur pions dans l'obscurité. Les directeurs des musées et des autres institutions étatiques avec qui j'ai eu des contacts m'ont toujours traitée avec courtoisie. Et cette courtoisie n'était due à rien d'autre qu'à mes travaux. Mais il m'est arrivé qu'un archiviste de musée annonce que telles œuvres de Mme Salour ne peuvent pas être retenues parce qu'elle a utilisé du papier mâché. Il faisait allusion à la série « Vision de la Terre » dont le directeur du musée avait lui-même envisagé d'acquérir trois pièces. Cela a suffi pour que l'expert du musée n'en sélectionne qu'une seule et me suggère soit de leur offrir soit de leur vendre à bas prix les deux autres. Alors, j'ai retiré les deux autres pièces. Cela fait vingt ans maintenant que cette pièce appelée « Iran » est au musée. Elle ne s'est pas dégradée, mais elle n'a jamais été exposée.

D'une certaine façon, vos œuvres sont un peu atemporelles. Et pourtant, il y a une sculpture de vous, au jardin de l'Association des Calligraphes (Bagh-e A'la), que vous avez nommée « Le Temps ». Voulez-vous nous parler un peu de ce que vous entendez par cela?

Le temps est une grande énigme. On ne comprend pas ce que c'est, le temps. Qu'est-ce que le passé, le futur ? Ils sont liés entre eux alors que le passé n'existe plus et que le futur n'est pas encore arrivé. La seule réalité est le présent, mais nous ne nous en rendons pas compte. Nous ressentons l'atemporalité au présent. Je vis le plus intensément au présent quand je me concentre sur quelque chose. Ces moments de concentration m'occasionnent les expériences les plus riches de ma vie. Je crois que dans un tel état vous pouvez découvrir des formes qui sont à votre portée auxquelles il suffit de donner corps. C'est peut-être pour cela que mes travaux ont un côté atemporel.

ture called *Time*. They are both related to women. There is a movement in that sculpture that is akin to time. Three women are entwined. The main body of the work is one of the women in the midst of flying. Looked at from above, her hands appear like wings. The third is a woman sitting inside a crevice. They are women because I am a woman; otherwise, you don't see the figure of a woman. One side of the sculpture has a soft movement; another side is rough, and this is the trace of *Time* in life.

The dimensions of this work are larger than you other works.

Yes, it is a large work and I did it all by myself. I was both hardheaded and without experience, otherwise, I should have done the work with a group of sculptors, as is customary, but I thought it had to be in my own hands and fired in my own kiln. I never measured to see if it would fit in my kiln. I was in a hurry to finish it. As such, I had to eventually cut the work in half and fire it in several stages, which was interesting. Ordinarily, I should have made measurements first. Having cut *Time* in half, I had to think of ways of joining the two together. I thought of soldering them with tin and lead, which I did with the help of Hamid Hakimi. He was worried that the work might break. I reassured him that it would not. We poured the molten lead and tin and it didn't break. But time is doing what it always dows: The work is coming undone, layer by layer. And I don't mind it. The last time I saw it, it was better than the original.

Do you ever do models?

The idea for a work forms in my mind and I come up with a sketch or blueprint. But when I start working, it changes.

How did you migrate to other materials?

Necessity, of course, is the mother of all invention. I wanted to create a wall. When I was working with clay, I had to make small tiles to arrive at the totality of the work. It wasn't easy. Small pieces would break and get lost. Labeling and arranging them was complicated. I then wondered what material I could use to avoid this problem and get the texture that I wanted. Clay is a noble material. It is powerful. But I eventually used a paper paste with which I could arrive at the same texture as clay. It could be made flat, it didn't need a kiln, and it could be worked on in its entirety.

Qu'est-ce qui vous a fait appeler cette pièce-là « Le Temps » ?

Il était prévu que l'endroit devienne un Centre d'études pour femmes, raison pour laquelle c'est moi qui ai été invitée pour créer une sculpture. Alors, j'ai conçu un mur, que j'ai appelé « Création », ainsi que cette sculpture. Les deux ont un rapport avec la femme. Dans cette sculpture, il y a un mouvement qui me rappelle le temps. En réalité, on y trouve trois femmes entrelacées. La partie principale est constituée par une femme en train de voler mais si on la regarde d'en haut, on voit une autre forme, à savoir des mains transformées en ailes. La troisième est une femme voilée assise dans une niche. Ces formes-là sont des femmes parce que je suis une femme, sinon tu ne verras pas de figures féminines dans tout cela. Sur un côté de la pièce, on voit un mouvement doux mais rugueux sur l'autre côté. Ensemble, ils montrent le passage du temps dans la vie.

Les dimensions de cette sculpture sont aussi plus imposantes que d'habitude.

Oui, c'est une grande pièce. En plus, je l'ai travaillée toute seule. Je crois que j'étais têtue et je manquais d'expérience, parce qu'en vérité j'aurais dû m'entourer d'un groupe de sculpteurs. C'est ce que faisaient beaucoup d'autres artistes. Mais moi, je pensais que je devais créer cette sculpture de mes propres mains et qu'elle devait être cuite dans mon propre four. Je ne l'ai même pas mesurée pour m'assurer que mon four était assez grand. Justement, il ne l'était pas et c'est pourquoi j'ai été obligée de couper la pièce en deux et la cuire en plusieurs étapes, ce qui a été fastidieux mais intéressant. En principe, il aurait fallu d'abord faire tous les calculs avant de se mettre au travail, et non pas, comme on dit en persan, « voler le minaret et se demander ensuite où on va l'ensevelir... » Une fois les deux parties prêtes, la question de leur assemblage s'est posée et c'est alors que j'ai eu l'idée de les souder avec de l'étain et du plomb. Je l'ai fait avec l'aide de Hamid Hakimi. Il avait peur que les pièces se cassent, mais je l'ai rassuré. Nous avons versé l'étain et le plomb liquides et la pièce n'a pas bougé. Mais le temps a fait son œuvre : depuis quelques années, la sculpture se dégrade couche par couche. Je n'y vois pas d'inconvénient puisque, la dernière fois que je l'ai vue, elle me paraissait plus belle qu'avant !

Est-ce que cela vous arrive de préparer des croquis pour vos œuvres ?

La pièce prend forme dans ma tête, mais je prépare aussi un croquis. Pourtant, quand je commence à travailler dans

«فرشته‌ی شماره‌ی ۱» (مجموعه‌ی مترسک‌ها) | چاپ روی کاغذ نقاشی،کلاژ، جوهر، پاستل، کاغذ کالک | ۱۳۹۱

L'Ange, No 1 (Epouvantail) | Imprimée sur Papierà Dessin, Collage, Encre, Pastel, Papier Calque
"Angel, No. 1" (Scarecrows Collection) | Print on drawing paper, collage, ink, paste, printed on translucent paper | 70 X 100 cm | 2012

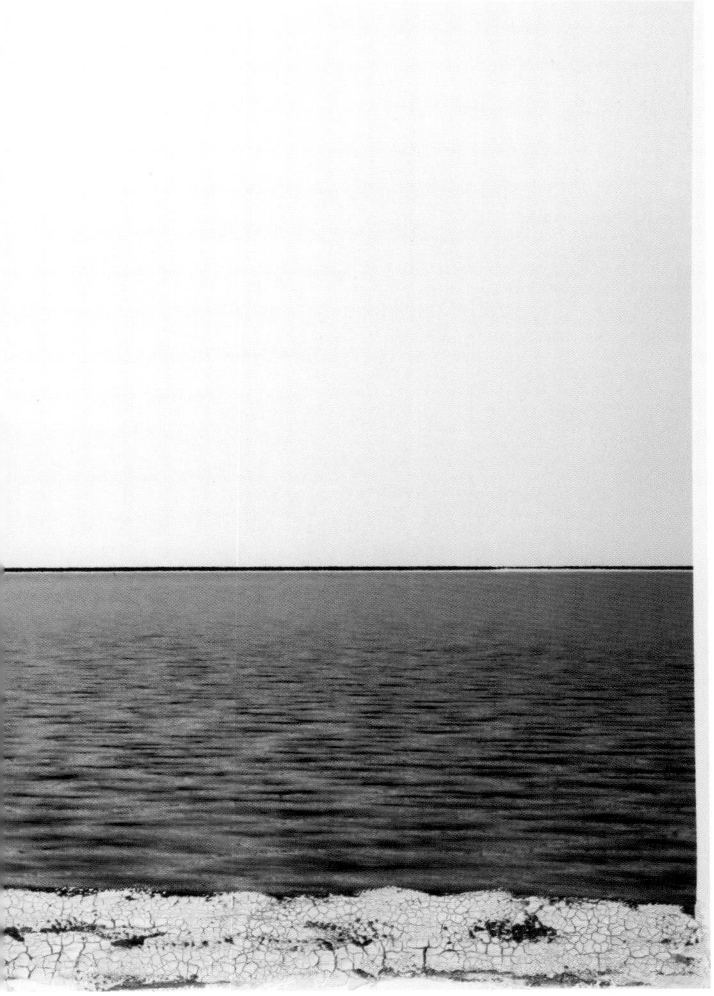

In your scarecrows you used whatever you found lying around. Was it because of scarecrows as subject matter or did something else drive your choice of material?

The material itself always animates and gives me the incentive to work. With the scarecrows, the idea came to me when I noticed how crows moved in groups in the early morning and evening. It took me to my childhood, to open fields and walking alongside my grandfather, and being fascinated by scarecrows. When I started working on my scarecrows, I went about it the way a farmer does: using every material available. When I threw a wire netting over the scarecrows, I started thinking about the story of *Simorgh*, and the wire netting turned into a central element. I believe none of these occurrences were accidental. Awareness is working and settling on something.

How did you decide to arrange the scarecrows in the desert or the salt lake?

I think all of it came from my unconscious. Perhaps, the emptiness associated with the desert, the silence, was behind it. I sensed that emptiness and silence when I was in there. When I placed the scarecrows in the desert, I saw how meaningful they became.

Ordinary scarecrows have no independent existence and they are there as deterrents, but your scarecrows have symbolic characteristics and they point to nothing. Don't you think that the reason you chose emptiness has to do with the power of their symbolic presence?

I believe everything arose at the same time. The characters you speak of came about with the stuff I found here and there (although I already had the devil's head). It all started of course from palm leaves, which had been hanging from the walls of my studio for some time. From a distance, these leaves resembled the feet of a ballerina, until I saw a fox in them. Then, other characters marched in one by one. I made the fox, then the devil. To complement the devil, I constructed an angel. The head of the angel was my only construction, so to speak. I already had the owl. To me, the owl represents wisdom. Characters formed. The desert was there, an empty space with only the scarecrows. I asked myself: There is no one there and you continue making scarecrows? Who is watching? What do you want to do with your solitude? These thoughts went through my mind. When I printed pho-

mon atelier, ce qui émerge est différent.

Comment avez-vous commencé à travailler avec d'autres matériaux ?

C'était par nécessité, comme pour toutes les créations. Après mes travaux céramiques, c'est à cause de mes murs que j'ai commencé à utiliser d'autres matériaux. Lorsque je travaillais avec de l'argile, j'étais obligée de confectionner des petites tuiles et de les assembler par la suite. Cela créait beaucoup de difficultés : les tuiles se cassaient, se perdaient, et les numéroter était compliqué. C'est pour cela que je me demandais tout le temps par quel autre matériau je pouvais remplacer les tuiles pour obtenir la même texture. L'argile est une matière noble et puissante. J'ai fini par trouver le papier-mâché, avec lequel je peux obtenir la même texture qu'avec l'argile. Il peut être plat, il n'a pas besoin de four, et on peut le travailler en une pièce.

Pour vos épouvantails, vous avez utilisé tout ce que vous avez trouvé autour de vous. Est-ce que c'est à cause du sujet même de l'épouvantail, ou aviez-vous l'intention de vous en servir dès le départ ?

Normalement, ce sont les matériaux même qui me rendent curieuse et me motivent. Mais dans le cas des épouvantails, ce qui m'a donné l'idée était le vol des corbeaux tôt le matin et vers le soir. J'ai été transportée dans mon enfance, quand je me promenais dans les champs avec mon grand-père et voyais des épouvantails. Et quand j'ai commencé à travailler, j'ai fait comme les paysans qui fabriquent leurs épouvantails avec tout ce qu'ils trouvent : j'ai utilisé tout ce qu'il y avait dans mon atelier. Et les filets en métal que j'ai mis sur les têtes des épouvantails sont par la suite devenus la matière première de mes simorghs. Je suis certaine que ce ne sont pas des coïncidences : on ne sait jamais où votre imagination vous amène.

Comment avez-vous eu l'idée d'installer les épouvantails au milieu du lac salé dans le désert ?

Je pense que tout cela sort de mon inconscient. Peut-être que c'était le vide, le néant, le silence qui m'attiraient. Cela correspond à l'expérience que j'avais moi-même dans ces régions. Quand je les ai vus dans ces paysages, je me suis rendu compte de leur signification.

D'habitude, les épouvantails n'ont pas de personnalité propre ? Ils sont seulement les gardiens de quelque

خانه‌ی البرز مرکزی

La Maison en Alborz Central
Central Alborz summer house

tographs of the scarecrows, I realized how much they reflect my own life. It was a triad!

Do you see your work in relation to any historical period of Iran?

The reason I started working with ceramics in the first place was the Iranian cultural influence, the fact of my birth in this land, and familial relations. My teacher in Paris called me "the daughter of azure domes."

Your experimenting with architecture in the house you have in the Central Alborz region is beyond walls and tablets. Your signature designs can be seen there.

It is no doubt more than a signature. Its architect will also attest to it and attributes it to my being a sculptor. I told him: "I don't want my house to be a box. I want it built in a way that it would leave no trace on the environment. I want the left-hand-side-mountains to visit the house and continue on their journey to the other side. And this happened. A natural, fluid formation was added to others.

Do you see yourself as a naturalist?

Intensely so! My main teacher is nature itself.

In most of your sculptures there is particular movement akin to an outside force that the figures interact and sometimes contend with. What is this force?

It is my own character, my own life force. It is the fire and wind burning and churning in me ceaselessly, and coming to rest next to water in one way and next to earth in another. It is an endless coming-and-going, inside-out. This is human being.

How did you come to toy with physical equilibrium in your works so much – from your early sculptures of bent figures to later ones where equilibrium seems to be metaphysical?

The sculpture you speak of is one of my angels. It built itself. The only thing that happened was that during the process of making the sculpture I was forced to take steps to keep it on its feet. Once this struggle was over, something emerged from its inside that was remarkable. It was as if it was bound to happen. It is here that you can believe that there are no accidents, only events that were supposed to happen. During some periods in my life, I could keep my equilibrium within a society that was in a

chose dans un espace donné. Mais vos épouvantails à vous ont des personnalités symboliques et, puisqu'ils sont entourés d'un néant, ils ne gardent rien. Ne pensez-vous pas que vous avez choisi ces paysages pour mettre en valeur la force de leur personnalité ?

Non, tout est lié. Aucun élément n'est séparé des autres. Leur personnalité a pris forme sur la base de ce que je trouvais autour de moi. Par exemple, la tête de Satan, je l'avais déjà. Tout a commencé avec les feuilles de palmier qui étaient suspendues dans mon atelier. De loin, elles faisaient penser aux pieds d'une ballerine, jusqu'au moment où elles prenaient la forme d'un renard ! C'est à ce moment-là que tout a commencé : les personnalités sont venues l'une après l'autre. J'ai fait le renard, et après Satan. Pour compléter Satan, j'ai construit un ange. La tête de l'ange est la seule tête que j'ai fabriquée. J'avais déjà la sculpture du hibou, et comme je considère le hibou comme le symbole de la sagesse, je l'ai ajoutée. Et bien sûr le désert y était déjà, un espace vide, à part les épouvantails. Je me suis dit : « il n'y a personne et tu continues à faire des épouvantails ? Qui est-ce qui les voit ? Qu'est-ce que tu veux faire avec ta solitude ?» Quand j'ai imprimé les photos des épouvantails, je me suis rendu compte à quel point ils reflétaient ma propre vie. C'était une triade !

Est-ce que vous percevez un rapport entre vos travaux et une période spécifique de l'histoire iranienne ?

Non. Mais le fait même que j'aie commencé à faire de la céramique est dû à l'influence de la culture iranienne et aux circonstances de ma vie : être née en Iran, dans une famille bien soudée et cultivée. En voyant les couleurs que j'utilisais à Paris, mon professeur m'appelait la fille des dômes turquoises !

En matière d'architecture – je pense à votre maison dans l'Alborz central – votre expérience va au-delà de vos murs et vos bas-reliefs. On voit bien les traces de votre art dans la conception de la maison.

Ce sont plus que des traces : l'architecte l'a avoué lui-même et l'attribuait au fait que je suis sculptrice. Je lui ai dit que je ne voulais pas une maison en forme de boîte, je voulais qu'elle ne fasse aucun dommage à la nature. Je voulais que les montagnes d'un côté traversent la maison pour rejoindre celles de l'autre côté, que la maison

state of flux only by relying on mental techniques. These techniques can be seen in my works, without me intending to show them. I only show what I live.

In our legends, we have the spectacular figure of Simorgh. Your simorghs, however, are small, light, and transparent. Your dandelions, on the other hand, are the opposite of what we see in nature. Why did you choose your material in this way?

I thought plenty about Simorgh before setting out to create my sculptures. I drew sketches and did studies. I read Farid ud-Din Attar's the *Conference of the Birds* and fell in love with the mythic bird. In Paris, when I became homesick, I would read the epic story and promised myself to sculpt a simorgh one day. I was invited to Lahore to present a work in a conference of Persianate countries.

It was the best opportunity to bring my own Simorgh to life. I read more about the bird. I thought that it was really nice to take what the bird symbolizes for me to a Persian-speaking country suffering from the fundamentalism of Taliban. The non-profit that organized the conference – of which I was a member – had no funds to set aside for expenses. I had to take my simorghs with me; so, they had to be light. I remembered the wire netting in my scarecrows. I should add that all the birds that I construct are generally light. Simorgh, the mythic bird, was a savior. When you pass through the Seven Realms, you automatically reach peace and then light. This is a light that emits from Simorgh. Back when I was making the stand for light fixtures, Iraj Zand would say that I was after light and I would find a way to get to it. This light finally came from within the sculpture. When the light was switched on and off, you would think that the bird was flying. It was very attractive. The dandelion was also an event. I wanted to work with light, and I was looking for a material to arrange light with. I was also a bit skeptical because it no longer fit the theme of my exhibition. Among hodgepodge items in a store my eyes rested on a tin plate. My mind was set right there. I told a friend accompanying me that it was it. I was thinking of the suspension of dandelions then, their forms, their reflections. It is true the dandelion is light, but it is also filled with energy. We humans fill them with aspirations and wishes before sending them on their way to whomever they end up reaching.

You have a sculpture of a figure whose profile is strong

فرشته | سفال لعابی | ۱۳۸۳

L'Ange | Céramique
Angel | Ceramic
60 x 24 x 5.5 cm | 2004

devienne un mont parmi d'autres. Et c'est ce qui s'est passé. Sa forme fluide est tout-à-fait unique.

Est-ce que vous vous considérez une artiste naturaliste ?

Tout-à-fait. Mon maître principal, c'est la nature.

Dans la plupart de vos sculptures, il y a une sorte de mouvement, comme une force externe avec laquelle les formes interagissent ou à laquelle elles font face. Quelle est cette force ?

C'est ma propre personnalité. C'est le feu et le vent qui m'agitent. Quand elle se pose à côté de l'eau elle prend une forme, et quand elle se pose à côté de la terre elle en prend une autre. C'est un va-et-vient permanent et, en fin de compte, c'est la nature humaine.

Comment êtes-vous arrivée au point où vous pouvez jouer tellement avec les équilibres physiques dans vos œuvres ? Des sculptures de figures penchées de vos débuts jusqu'aux figures tardives où l'équilibre semble plutôt métaphysique ?

La sculpture dont vous parlez est un de mes anges. Il s'est fait de lui-même. Il est possible que pendant le travail j'ai dû prendre des mesures pour faire en sorte qu'il puisse se tenir sur ses pieds. Une fois la lutte terminée, quelque chose en est ressorti qui était remarquable, comme si cela avait été prédéterminé dès le départ. A certaines époques de ma vie, je pouvais garder mon équilibre dans une société en proie aux changements profonds uniquement grâce aux techniques mentales. Ces techniques se manifestent dans mes œuvres involontairement. Je n'ai fait qu'exprimer ce que j'ai vécu.

Dans nos légendes, les simorghs sont toujours des créatures très imposantes. Mais les vôtres sont petits, légers, et transparents. Par contre, vos pissenlits sont le contraire de ce qu'ils sont dans la nature. Comment en êtes-vous arrivée là ?

Une des rares fois où j'ai fait un travail préparatoire pour une sculpture, avec des croquis et des études, est quand j'ai créé mes simorghs. Quand j'ai reçu une invitation pour exposer une œuvre à Lahore, je me suis dit que c'était le moment de faire un simorgh. Alors j'ai lu beaucoup sur cet oiseau mythique. Selon les traditions, quand le simorgh ouvre ses ailes, il répand la paix, l'amour, et

به طرف آزادی | مفرغ | ۱۳۸۷
Vers la Liberté | Bronze
Towards Freedom | Bronze
27 x 9 x 8 cm | 2008

and robust but whose shoulders are bent and feeble.

Yes, it is a small woman whose head is bare, like a rain gutter. It is called Towards Freedom.

I didn't know its name; she is strong and powerful on the one hand and weary and distraught at the same time.

This work belongs to a time when I didn't know whether to continue with my marriage. I was sitting in front of the fireplace and one of the logs that were in the process of burning had this form in it. I waited a bit and saw that I couldn't let it burn completely. I pulled it out with tongs and poured water over it. It had turned into charcoal and it was brittle. The body of this woman had emerged. Everything is related. How I saw myself as a burning log, with all the emotions that was going through me. I made the sculpture on the next day, and it was a good start.

Is art liberating for you?

Always! It has also brought me pain on occasion. Looking at my work from a distance, I would sometimes see how lacerated I was from within. But art has liberated me. I don't like to do anything else. I only like to do what I do.

Do you see your works on canvas as painting?

I do. Many say that these are relief and not painting. For me it makes no difference what we want to call them. What's important is that there is a canvas underneath and "painting" means applying paint to a surface.

Why did you go towards painting to begin with?

I did it out of curiosity. It is through such curiosity that I reach an understanding of myself and the current of life around me. My main medium is undoubtedly clay. I know this. In my oil painting series *A Little Fresh Air*, there is a small trace of clay.

Don't you think that experimenting with different mediums you loose your dedicated audiences?

I have never thought about the market. I satisfy my curiosity. First, because what is important to me in art is the freedom that an artist has without thinking too much about what the viewer wants. Should there be one free activity in the world, it is that of the artist, be she a poet, a painter, a writer, or a musician. Let this activity be free. But we see that the market

la sérénité. En tant qu'Iranienne persanophone, j'aimais la pensée d'apporter ces idées à un pays qui souffrait des attaques des Taliban (d'ailleurs, une attaque terroriste visant une équipe de sportifs sri-lankais a eu lieu à 500 mètres de nous pendant que je donnais une conférence dans une des universités de Lahore). Mes hôtes appartenant à une institution à but non lucratif, ils n'avaient pas les moyens de me payer. De ce fait, obligée de transporter ma sculpture dans mon bagage, elle devait être très légère. Je me suis alors souvenue des filets en métal que j'avais utilisés pour les épouvantails. Mais de toute façon je dois dire que pour moi les oiseaux sont par définition légers et aériens, qu'il s'agisse d'un simorgh ou d'un canari. Le simorgh est un sauveur et quand vous traversez les sept vallées dont Attar parle dans sa « Conférence des Oiseaux » à la fin vous trouvez la paix et puis la lumière. Quand je faisais des pieds de lampe en céramique, Iradj me disait que je cherchais la lumière et que j'allais l'atteindre. Cette lumière est finalement apparue dans mon simorgh. Quand les petites lampes s'allumaient et s'éteignaient, on avait l'impression que l'oiseau volait, ce qui était beau à regarder. Les pissenlits aussi résultaient d'une coïncidence. Je voulais travailler avec la lumière et je me demandais avec quelle matière je pouvais créer une installation qui mette en valeur la lumière. J'hésitais un peu, parce qu'un tel travail n'allait pas avec le thème de mon exposition. J'ai vu des plaques d'étain dans un magasin au bazar de Téhéran et j'ai tout de suite changé d'avis. J'ai dit à mon assistant Shahrouz Sadr : «regarde, ces plaques ressemblent à mes travaux. » A ce moment-là, j'ai décidé de suspendre les pissenlits et j'ai conçu leur forme et leur réflexion. Le fait est que le pissenlit, tout en étant léger, est plein d'énergie. Mais quand on l'envoie à quelqu'un, il est porteur de vœux et donc pas aussi léger que cela ! J'ai essayé de montrer ce paradoxe dans ma pièce.

Vous avez une sculpture dont le profil suggère une certaine vigueur, tandis que ses épaules sont tombantes et fluettes.

Oui, c'est une femme à tête nue, comme une gouttière. Le nom de cette statue est « Vers la liberté ».

Je ne connaissais pas son nom. D'une part, elle et vigoureuse et pleine de force, d'autre part elle est fatiguée et souffrante.

آفرینش | باغ علا (انجمن خوشنویسان) | سفال لعابی | ۱۳۷۲
Création | Ala Jardin (Association des Calligraphes) | Céramique
Creation | The Ala Garden (Calligraphers' Association) | Ceramic
600 x 220 cm | 1993

is also trying to take this freedom away.

Do you feel that you should continue with painting?

I don't know. Right now, I yearn to work with metal. Sometimes the material gives me ideas. At other times, the idea guides my choice of material.

Has it ever been you concern to show the ancestral land in your works?

Never! Art deals in emotions and feelings, the spirit of an individual, which go beyond geographical boundaries. Boundaries are political and commerce-oriented. Is there a difference between the sadness and joy of a European, African, or American? Human pain is human pain. When you live in a particular land, these pains manifest themselves according to particular conditions. But if you choose to focus on geography, then your work becomes artifactual.

Elle appartient à une période de ma vie où je n'étais pas sûre de vouloir continuer mon mariage ou pas. Assise devant la cheminée, j'ai entrevu cette forme dans une des bûches qui brûlaient. Après un moment d'hésitation, j'ai sorti cette bûche du feu avec des pinces et j'ai versé de l'eau dessus. Et, dans cette matière friable semblable au charbon, je voyais la forme de cette femme. Je vous dis que tout est lié à tout ! Je me suis reconnue dans cette bûche encore brûlante. Le lendemain j'ai sculpté la statue dont vous parlez.

Est-ce que l'art est pour vous une activité libératrice ?

Oui, toujours. Mais il m'est arrivé qu'il me cause des souffrances. Parfois, en regardant mes pièces de l'extérieur, je me rendais compte à quel point j'étais déchirée à l'intérieur. Mais l'art m'a libérée. Je n'aimerais jamais faire autre chose dans la vie.

Est-ce que vous considérez vos travaux sur toile comme des peintures ?

Oui. Beaucoup de gens disent que ce ne sont pas des peintures mais des reliefs. Moi, cela m'est égal. Ce qui est important, c'est que ces travaux se font sur une toile.

Pourquoi avez-vous pris le chemin de la peinture ?

A cause de ma propre curiosité. C'est grâce à cette curiosité que j'arrive à me comprendre moi-même ainsi que les courants de vie qui m'entourent. Mais sans aucun doute ma matière première principale reste l'argile. Au milieu des peintures de la série « un peu d'air frais » il y toujours une petite ligne d'argile.

Ne craignez-vous pas que vos expérimentations avec des médiums différents pourraient vous faire perdre votre public ?

Non, je n'ai jamais pensé au marché. Avant tout, j'ai toujours essayé de satisfaire ma curiosité. La raison en est que, pour moi, l'essentiel c'est ma liberté. La liberté que tout artiste doit toujours posséder et que les autres n'ont pas le droit de limiter. S'il y a une activité qui doit être libre dans le monde, c'est l'art, qu'il s'agisse de la poésie, de la peinture, de la littérature, ou de la musique. Mais on doit constater que le marché limite cette liberté.

You were the artistic director of the 8th Ceramic and Glass Biennial. Did you decide on that or did you accept an invitation?

Because of disagreements between some of the leading pottery artists and their students, the biennial kept on being postponed. I remember that a council was formed to deal with the issue. I wanted to play the role of intermediary. Then, the Museum and several artists contacted me and asked that I accept running the show. I did not want to at first because I thought I was incapable of doing it. I eventually did accept.

What were your main preoccupations in the biennial?

I wanted to maintain a level playing field. At the same time, the artistic integrity of the works was important to me.

What do you mean by artistic integrity?

For example, the artists that had done installations had something new behind their works. I paid more attention to their works. I was admonished for it. I argued that the works had intrinsic value. For example, an artist had made a few hundred colorful fish and balanced them beautifully on stands, calling the whole thing *The Little Black Fish*. An electric fan rotating somewhere made it look as though they were swimming in the ocean. It was a wholesome work. It did not need any promotion.

You think your critics paid more attention to technique as opposed to expression?

I tried to select works with precision, both in terms of technique and ideas. I am generally very strict when it comes to technique. I did not want works to find their way in that I did not believe in. This was the main issue.

You have conducted workshops and held courses in your studio. Was teaching instructive or reductive?

They were never reductive, but I was physically unable to continue at some point. When the summer courses would end and my younger students would leave, I saw how many ideas came to me, because my students were so transparent. But the courses that I held during the winter for older students were during my own periods of work and they were difficult. There was not enough

Pensez-vous continuer avec la peinture ?

Je ne sais pas. Une des choses que j'aimerais faire maintenant est de travailler avec du métal. Parfois, c'est le médium qui vous donne l'idée pour une œuvre mais il arrive aussi que vous ayez déjà une idée et que vous choisissiez le médium en fonction de votre idée.

Avez-vous jamais ressenti le besoin de montrer votre terre ancestrale dans vos œuvres ?

Jamais. Un art qui est en rapport avec les sentiments, les sensations et l'âme d'une personne sensible ne connait pas de frontières géographiques derrière lesquelles interviennent la politique et le marché. Le chagrin et la joie ne sont pas européens, américains, ou africains. Mais quand vous vivez dans une société, il est inévitable que le chagrin et la joie se manifestent dans vos travaux d'une façon qui est propre au milieu dans lequel vous vous trouvez. Seulement, si vous faites de cette spécificité le but principal de votre créativité, ce que vous produisez devient de l'artisanat.

Pour la huitième biennale de céramique et de faïence, c'était vous la directrice. Est-ce que c'est vous qui avez pris cette décision ou est-ce qu'on vous a invitée et vous avez accepté ?

Quelques années auparavant, en raison de l'existence de conflits entre les maîtres potiers et leurs élèves, les biennales prenaient du retard. Si je me souviens bien, on a constitué un comité pour résoudre ces problèmes. J'ai tenté de faire la médiatrice. Après, le musée et certains maîtres potiers m'ont invitée à devenir directrice de la prochaine biennale. Au début, j'ai hésité parce que je ne me sentais pas à la hauteur de la tâche, mais j'ai finalement accepté.

Est-ce que vous aviez une préoccupation particulière pour la biennale ?

J'ai essayé de maintenir une certaine égalité parmi les participants tout en privilégiant des œuvres de haute valeur artistique.

Qu'est-ce que vous entendez par « valeur artistique » ?

Par exemple, il y avait des artistes qui avaient créé des installations. C'était nouveau, et j'ai cru bon de leur faire une grande place. Or par la suite, certains autres ar-

نمایشگاه پایان کلاس‌های تابستانی کودکان | آتلیه‌ی تجریش | تهران | ۱۳۷۰
از چپ به راست : مریم سالور، نرگس عقدایی (دختر)، فخری گلستان

L'Exposition de la Fin des Cours d'Eté des Enfants | Atelier Tajrish | Téhéran | Du Gauche à Droite : Maryam Salour et sa fille Nargesse Aghdaee, et Fakhri Golestan
End of summer exhibition of children's work | Tajrish Studio | Tehran | from Left to Right: Maryam Salour and her Daughter Nargese Aghdaee and Fakhri Golestan | 1991

room and generally, when you are in the middle of exploring, you need your own solitude.

Do you see your students as following in your footsteps?

Some do and some don't.

Do you appreciate the work of artists who have chosen a different path from yours?

I do appreciate them if they are passionate about their work. One of them, who now lives outside the country, and who has persisted with her artistic career, sent me images of her works, asking for my opinion. She also apologized for their similarity with my own works. "It is absolutely fine," I told her, "you will eventually find your own language. These influences are sometimes inevitable. One day, you will go beyond these and traces of your past influences will still persist. This is the meaning of 'being connected'."

Have you ever been asked to teach university courses?

Yes, they asked me to hold a final term course with BA students. I asked them to let me have two terms so that I could actually do something with the students; but the university people never followed up, and I didn't pursue the matter.

Especially in your later paintings, we see strong lines that function as divides. Where do these come from?

I am not sure. I generally like lines, be they geometric or calligraphic, in which there is poetry. They had to make an appearance in my works one day.

One of the artists that we have talked about together often is Mark Rothko, his works and his way of life. Do you see influences of him in your work?

Yes, I was fascinated by Rothko. When I turned more professional, I became a stronger follower. His influence can be particularly detected in *A Little of Fresh Air*. I realized this when I was done with that series. The exhibitions that I saw in that period around town were too busy, feverish and filled with anxiety. These exhibitions made my life seem more difficult. There was also madness in the news. It was stifling. I think an artist is not a journalist who has to reflect the events around him or her with immediacy. She is undoubtedly affected by the events around her, but this

tistes se sont plaint que c'était moi qui les avais mises en valeur. Je leur répondais que c'était l'œuvre elle-même qui avait de la valeur. Pour vous donner un exemple précis : un artiste avait joliment installé une centaine de poissons de différentes couleurs qui s'agitaient comme s'ils nageaient dans l'océan grâce à un mouvement d'air créé par un ventilateur électrique. C'était tellement bien fait qu'il n'était pas nécessaire que je le mette « en valeur ».

Vous pensez donc que les autres donnaient de l'importance aux techniques, tandis que pour vous, c'étaient les idées qui importaient ?

Non, j'ai essayé de fournir un travail très soigné. Les pièces que j'ai choisies avaient été minutieusement examinées aussi bien au niveau technique qu'au niveau des idées. D'une façon générale, je suis assez stricte en ce qui concerne la technique. Je ne voulais pas faire passer quelque chose qui ne me satisfaisait pas.

Dans votre atelier, vous avez donné des cours durant plusieurs années. Quel en a été l'effet sur vous ?

Je ne me suis pas sentie inhibée. Seulement, à un certain point, j'étais trop épuisée physiquement pour continuer. A la fin de mes cours d'été pour enfants, quand ils rentraient à l'école, je me rendais compte qu'ils avaient été une source d'inspiration pour moi. Par contre, les cours que j'organisais en hiver pour adultes me fatiguaient, car j'aurais préféré consacrer ce temps à mes propres travaux. L'espace me manquait, et, de toute façon, quand on entre dans une période de créativité, on a besoin de solitude.

Est-ce que les travaux de vos élèves ressemblent aux vôtres ?

Certains oui, d'autres pas.

Dans quelle mesure appréciez-vous les travaux qui étaient très différents des vôtres ?

J'appréciais ceux de mes élèves qui étaient passionnés. Une de mes élèves, qui continue d'ailleurs son travail artistique à l'étranger, m'a récemment envoyé des photos de ses œuvres pour me demander mon avis, tout en s'excusant que ses pièces ressemblent aux miennes. Je lui ai expliqué que ce n'était pas du tout important, qu'elle trouverait son propre langage. Parfois, les influences sont inévitables. Jusqu'au jour où on s'en sépare, mais même là, des influ-

«مترسک‌ها» (سری روشنایی)

چاپ روی کاغذ نقاشی، کلاژ، جوهر، مداد کاغذ کالک چاپ شده، آینه، قلع | ۱۳۹۷

Épouvantail (Collection Luminance) | Imprimée sur Papier à
Dessin, Collage, Encre, Papier Calque Imprimé, Miroir, Étain
"Scarecrows" (Luminance Collection) | Print on drawing paper,
collage, ink, pencil, printewing, mirror, tin
70 X 100 cm | 2018

doesn't mean that she has to talk about what she sees
or hears. I was doing studies for an upcoming exhibit at
the Etemad Gallery, and I involuntarily started these can-
vases. The first one was one of the reds. "It takes cour-
age to show these," a friend told me before the exhibit.

ences passées perdurent. C'est cela le sens «d'être con-
necté».

Est-ce qu'on ne vous a jamais proposé d'enseigner à l'université ?

Si. Une fois on m'a proposé de prendre en main les étudiants de la dernière année de licence, mais je leur ai dit que je n'accepterais que si on me les confiait pour une année entière pour que je puisse leur donner une bonne formation. Il n'y a pas eu de suivi, et, de mon côté, je n'ai pas insisté.

Dans vos toiles, surtout dans les peintures plus récentes, on voit des lignes solides qui ont une fonction séparatrice. D'où viennent ces lignes ?

Je ne sais pas. D'une façon générale, j'aime les lignes, aussi bien en géométrie qu'en calligraphie. Il était inévitable que cette inclination se manifeste un jour.

Est-ce que tu as été influencée par Rothko ?

Oui. Depuis ma jeunesse, j'ai été fascinée par Rothko. Quand je suis devenue une professionnelle, son influence s'est accrue. Elle est la plus visible dans ma série «Un peu d'air frais » ; je m'en suis rendu compte une fois la série terminée. Les expositions que je visitais à cette époque à Téhéran dégageaient une atmosphère fébrile et anxieuse. Quand vous sortiez de l'exposition, vous remarquiez les difficultés auxquelles la société faisait face. Les informations à la télé vous montraient un monde devenu fou. Toutes ces choses-là m'étouffaient. Pour moi, une artiste n'est pas une journaliste qui se doit de refléter l'actualité dans ses travaux. Bien sûr, le monde extérieur l'influence, mais si on se contente de dépeindre ce qu'on voit et ce qu'on entend, on n'a pas fait grand-chose. Une fois, alors que je préparais une exposition à la galerie Etemad, j'ai subitement commencé à peindre ces toiles dans mon atelier et la première était justement rouge. En la voyant, un de mes amis m'a dit qu'il fallait beaucoup de courage pour les exposer à ce moment-là.

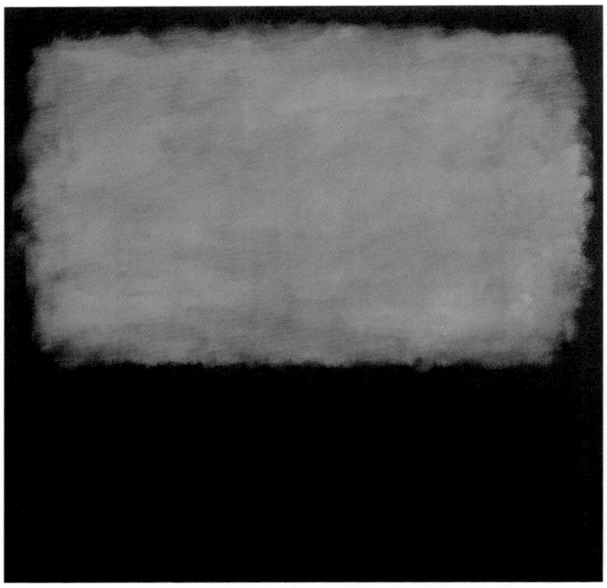

Pourquoi ?

Parce que, selon lui, je n'avais rien fait d'autre que juxtaposer quelques couleurs rouges et oranges. Quand j'ai fini, je me suis dit : «enfin ! un peu d'air frais !» pensant au poète iranien Ahmad Chamlou. Et c'est devenu le titre de l'exposition. J'avais effectivement besoin d'un peu d'air frais.

بدون عنوان | مارک روتکو
Sans Titre | Mark Rothko
Untitled | Mark Rothko

خط زمان | رنگ روغن وترکیب مواد برروی بوم | ۱۳۸۹
La Ligne du Temps | Huile et Mixed Média sur Toile
Time Line | Oil and mixed media, on canvas |
140 x 180 cm | 2010

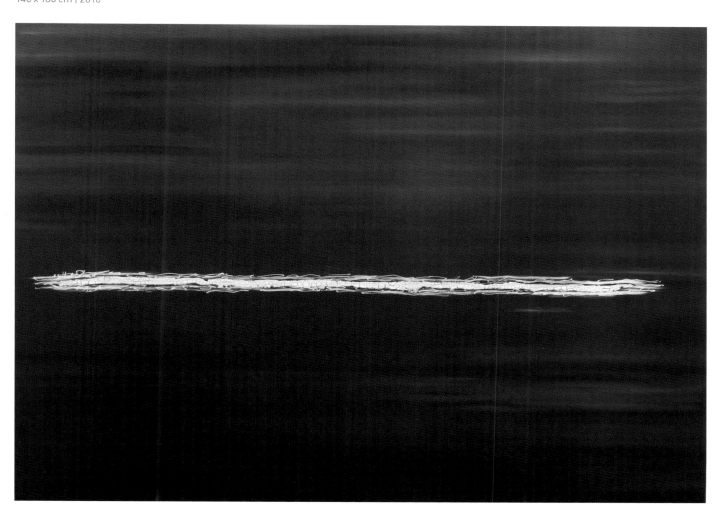

Vous voulez dire que Rothko avait aussi besoin d'un peu d'air frais quand il a peint ses surfaces colorées ?

Je ne connais pas les motivations de Rothko, mais il me semble qu'il a fini par apprécier le pouvoir de la couleur, sans lignes ni dessin. Tout artiste fait ce genre de découverte, et je suis sûre que Rothko s'en est réjoui. Moi aussi, quand j'ai juxtaposé ces couleurs, j'ai été heureuse. Je me suis sentie exaltée, comme Rothko avant moi. Quant à moi, j'en suis arrivée là au terme d'une période agitée, aussi bien au niveau artistique qu'au plan de ma vie personnelle. Une autre chose qui me fascine dans l'œuvre de Rothko, ce sont ses trois dernières toiles, celles qu'il a peintes pour une église. Elles ont une texture noire, et j'admire ce courage.

Parmi toutes vos périodes, quelle est celle que vous préférez vous-même ?

Je ne saurais pas le dire. J'aime beaucoup ma première période, celle des travaux céramiques. Mais maintenant, je préfère mes séries plus récentes (les épouvantails et les pissenlits) que j'ai appelées « Lumière ». Mais comment peut-on choisir entre ses enfants ? D'ailleurs, je n'en ai qu'un seul.

کمی هوای تازه | گالری اعتماد | تهران | ۱۳۸۹
Un Peu d'Air Frais | Galerie Etemad | Téhéran
A Little Fresh Air | Etemad Gallery | Tehran | 2010

What was this friend insinuating?

To him, I hadn't done anything; these paintings were nothing but juxtapositions of red and orange colors. When I finished them, I said to myself, "at last, a bit of fresh air."

You mean you had a similar sense as Rothko when you were doing these?

I was in the middle of a busy spell in my life when I started this series. Rothko arrived at the power of the color red. I also felt elated when I placed hues of next to each other. Another interesting aspect of Rothko is his last three works, which he did for a church. Black is dominant in these. I admire his bravery.

Which period of your career do you like most?

I can't say. At some point, I liked my early ceramic period. Right now, I like my latest series (Scarecrows and Dandelions). But really, how can you choose from among your children? But mind you, I have only one child.

Peintures et Collages
Paintings and Collage

Luminance
Luminance

Pissenlits
Dandelions

Figures
Figures

Epouvantail
Scarecrows

Un Peu d'Air Frais
A Little Fresh Air

Journal Intime
Diary

Maryam Salour
CERADEL

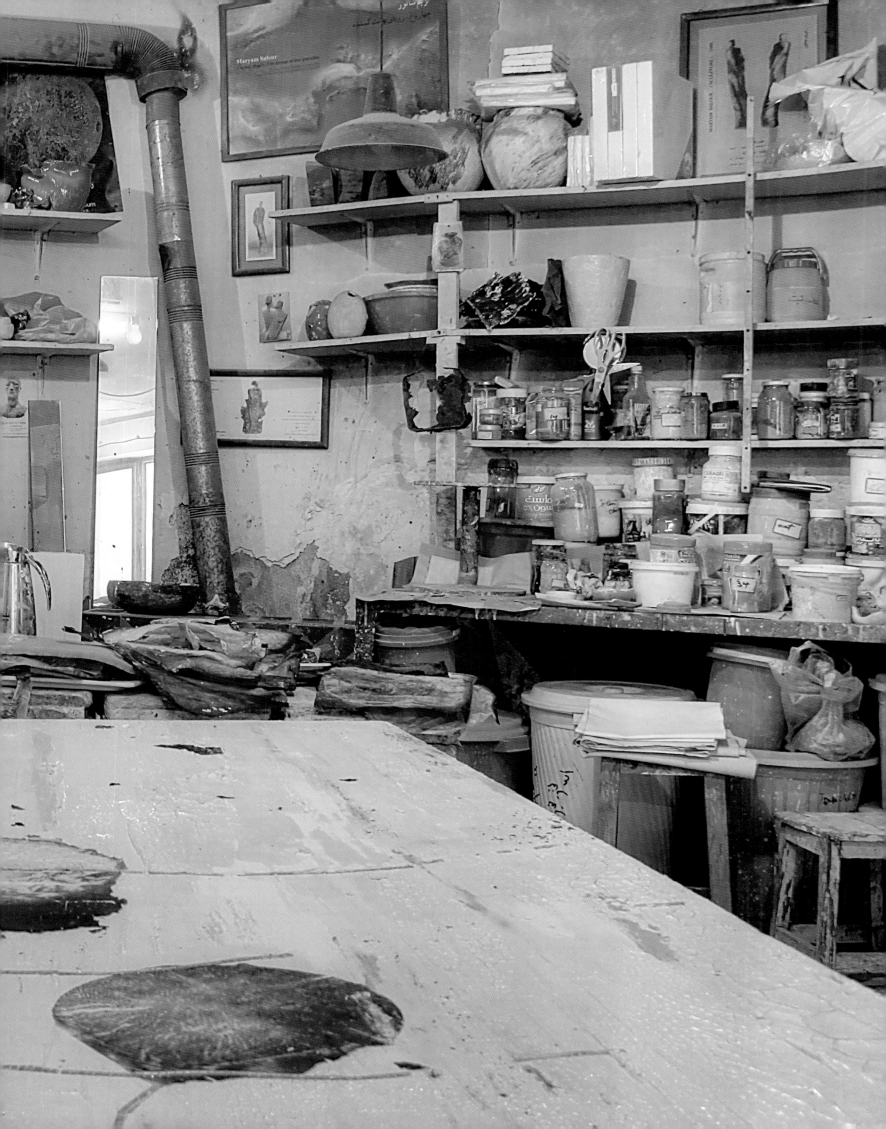

بدون عنوان | ترکیب مواد، کاغذ برروی بوم | ۱۳۹۶

Sans Titre | Mix Média, Papier sur Toil | Untitled | Mix media, paper on canvas | 200 x 60 cm | 2017

» آتلیه‌ی تجریش | تهران | ۱۳۹۶
Atelier de Tajrish | Téhéran
Tajrish Studio | Tehran | 1989

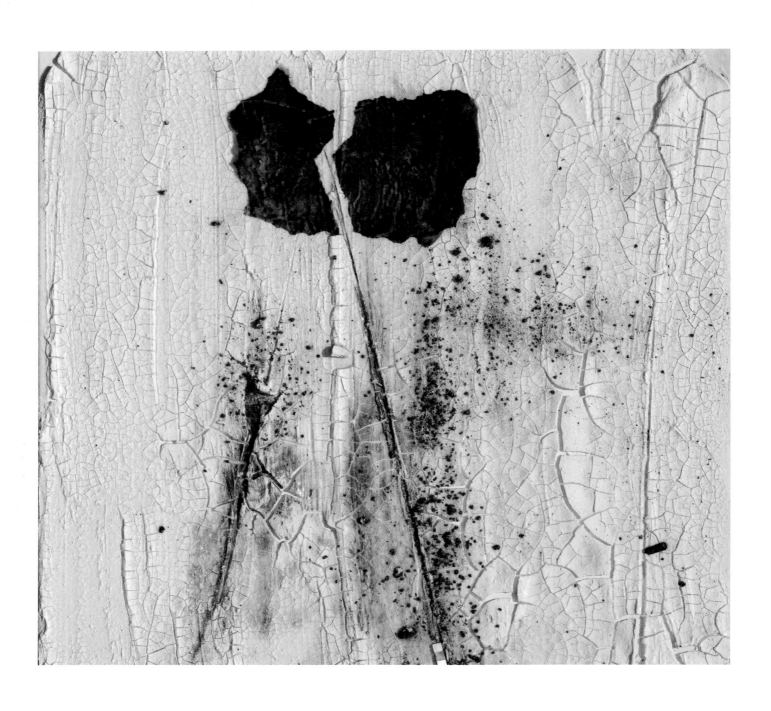

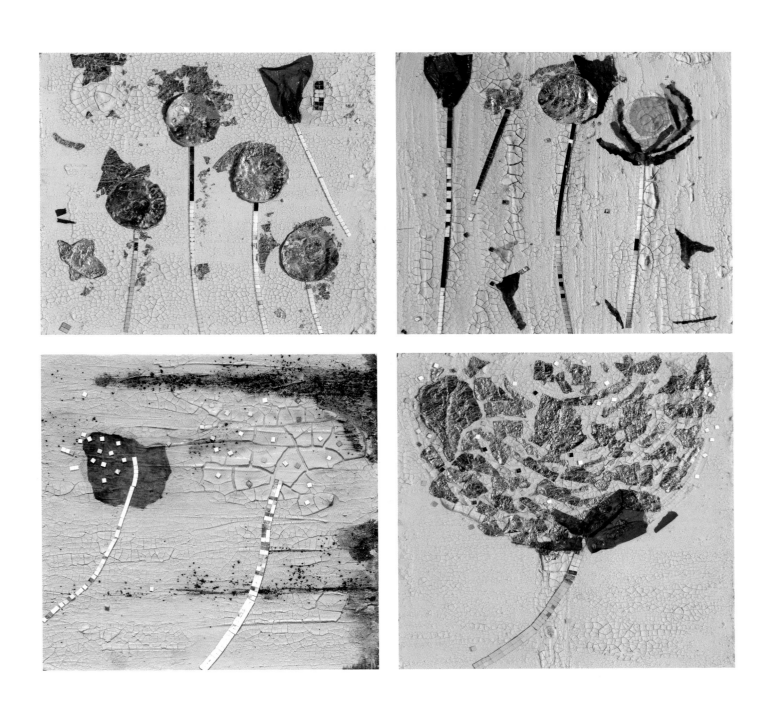

«قاصدک‌ها» (مجموعه‌ی روشنایی) | ترکیب مواد، آینه، قلع، کاغذ بر روی بوم | ۱۳۹۷
Pissenlits (collection Luminance) | Mix média, Papier, Miroir, Étain sur Toile
"Dandelions" (Luminescence Collection) | Mix media, paper, mirror, tin on
canvas
40x40 cm | 2018

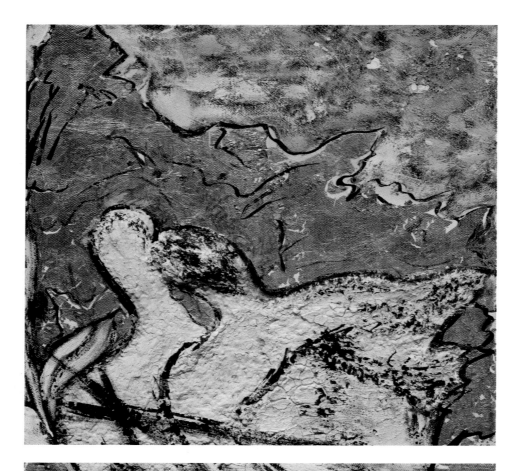

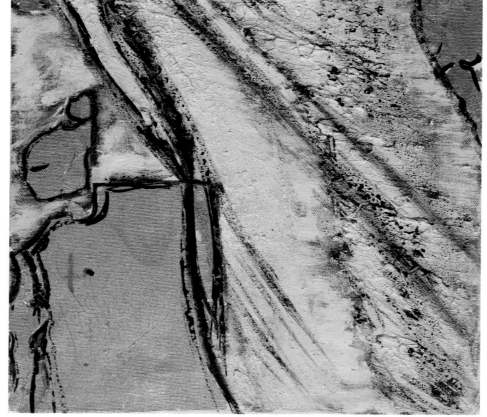

«عاشقانه» (مجموعه‌ی روشنایی) | ترکیب مواد، ورق طلا برروی بوم | ۱۳۹۰ ›

Amoureusement (collection *Luminance*) | Mix Média Feuille d'Or sur Toile
"Amorously" (Luminance Collection) | Mix media, gold leaf on canvas |
40 x 40 cm | 2012

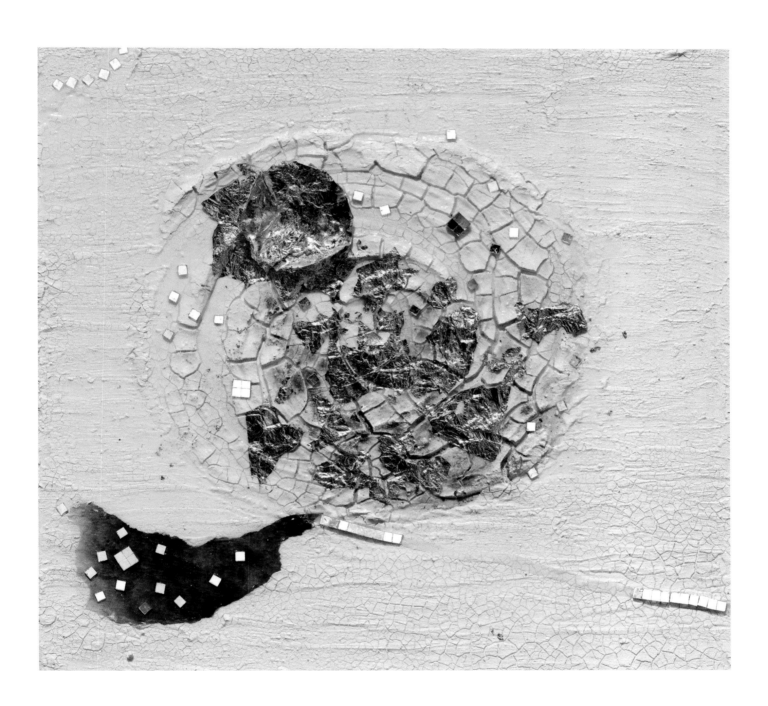

خورشید و پرنده | ترکیب مواد، کاغذ، آینه برروی بوم | ۱۳۹۷

Soleil et l'Oiseau | Mix Média, Papier, Miroir sur Toile
Sun and Bird | Mix media, paper, mirror on canvas
40 x 40 cm | 2018

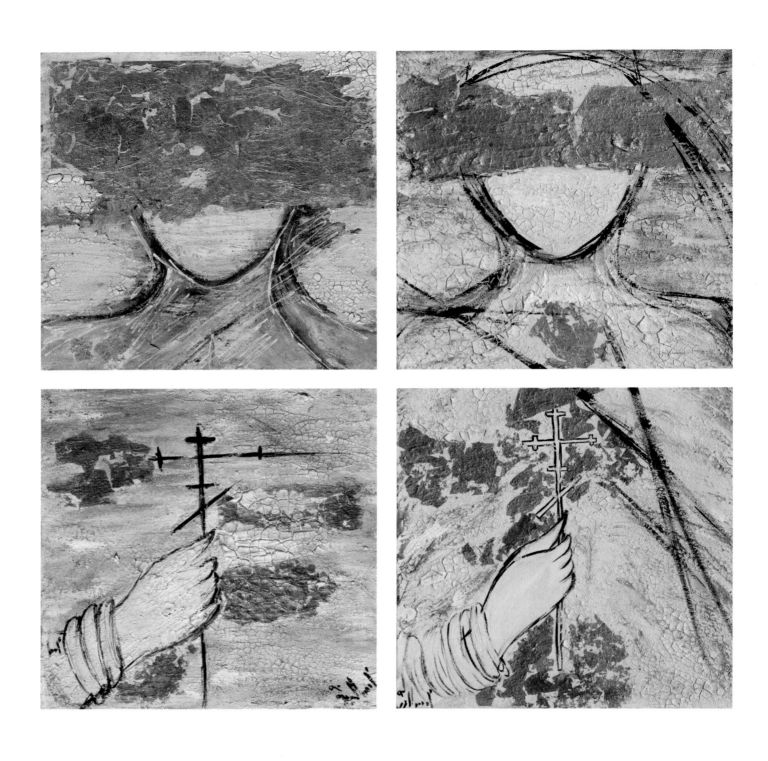

«بیزانس امروز» (مجموعه‌ی روشنایی) | ترکیب مواد، رنگ روغن، ورق طلا، آهن برروی بوم | ۱۳۹۰

Byzance d'Aujourd'hui (collection Luminance) | Mix Média, Huile, Feuille d'Or, Fer sur Toile
"Today Byzantium" (Luminance Collection) | Mix media,, oil, gold leaf, iron on canvas
40 x 40 cm | 2012

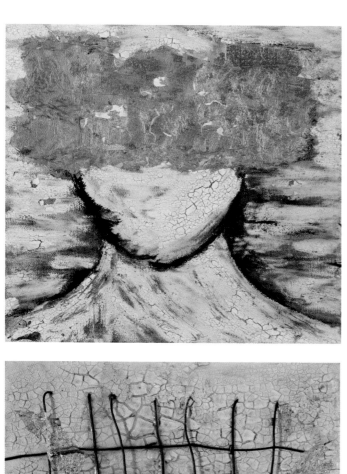
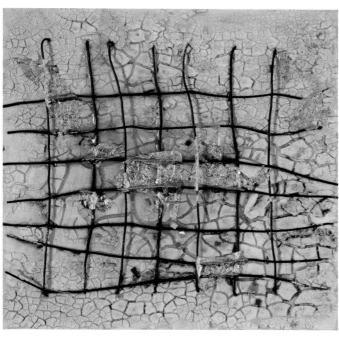

Le pissenlit, en silence, fait sa paisible apparition.... Il tournoie, suscitant une atmosphére de magie... Il m'ensorcéle... Puis, pourvu d'une provision de souvenirs, de messages et de désirs, il s'éloigne sans bruit, ne laissant derriére lui qu'intemporalité et limpidité.

The dandelion fluff enters in silence; floats around; brings a mysterious feel; allures me. And with a bundle of memories, messages, and wishes, fades away in silence and lets nothing remain but timelessness and clarity.

«قاصدک شماره‌ی ۳» (مجموعه‌ی قاصدک‌ها) | ترکیب مواد، کاغذ، آینه، قلع برروی بوم | ۱۳۹۶

Pissenlits No. 3 (Collection Pissenlits) | Mix Média, Papier, Miroir, Étain sur Toile
"Dandelions, No. 3" (Dandelions Collection) | Mix media, paper, mirror, tin on canvas
135 x 220 cm | 2017

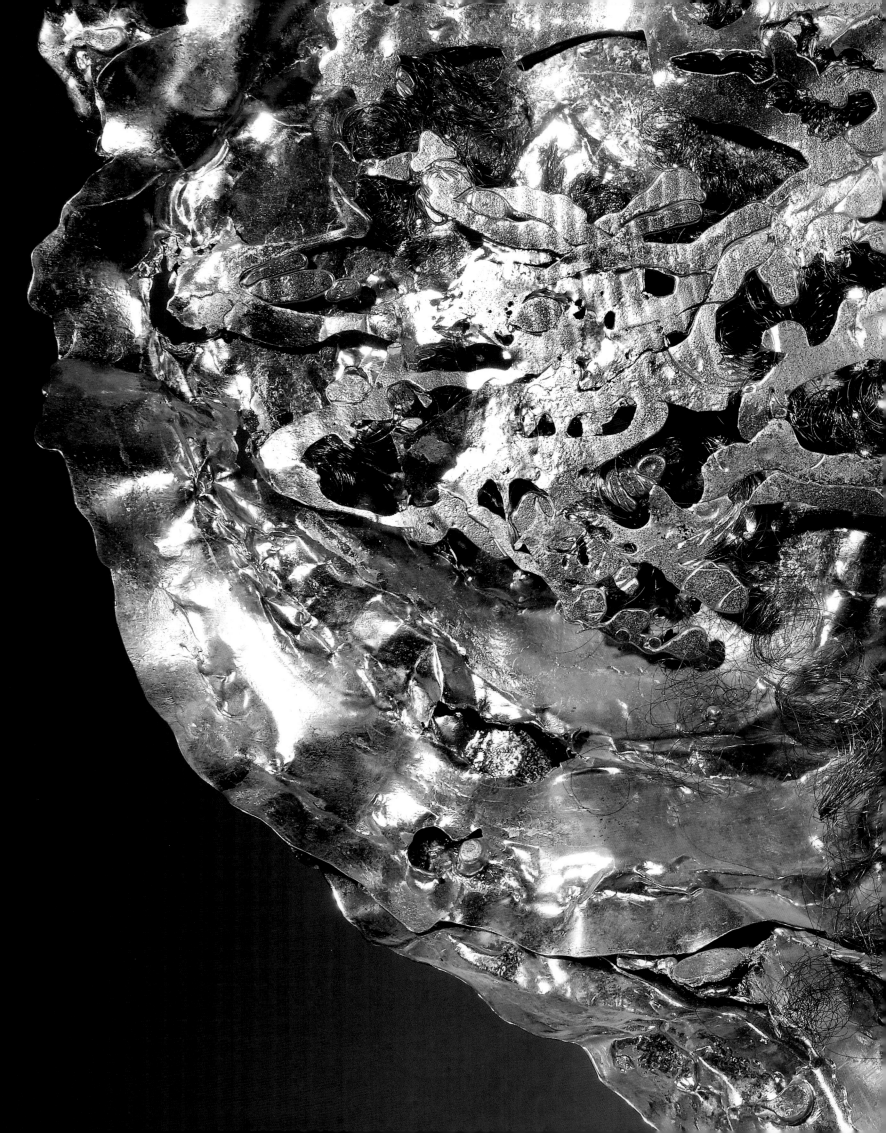

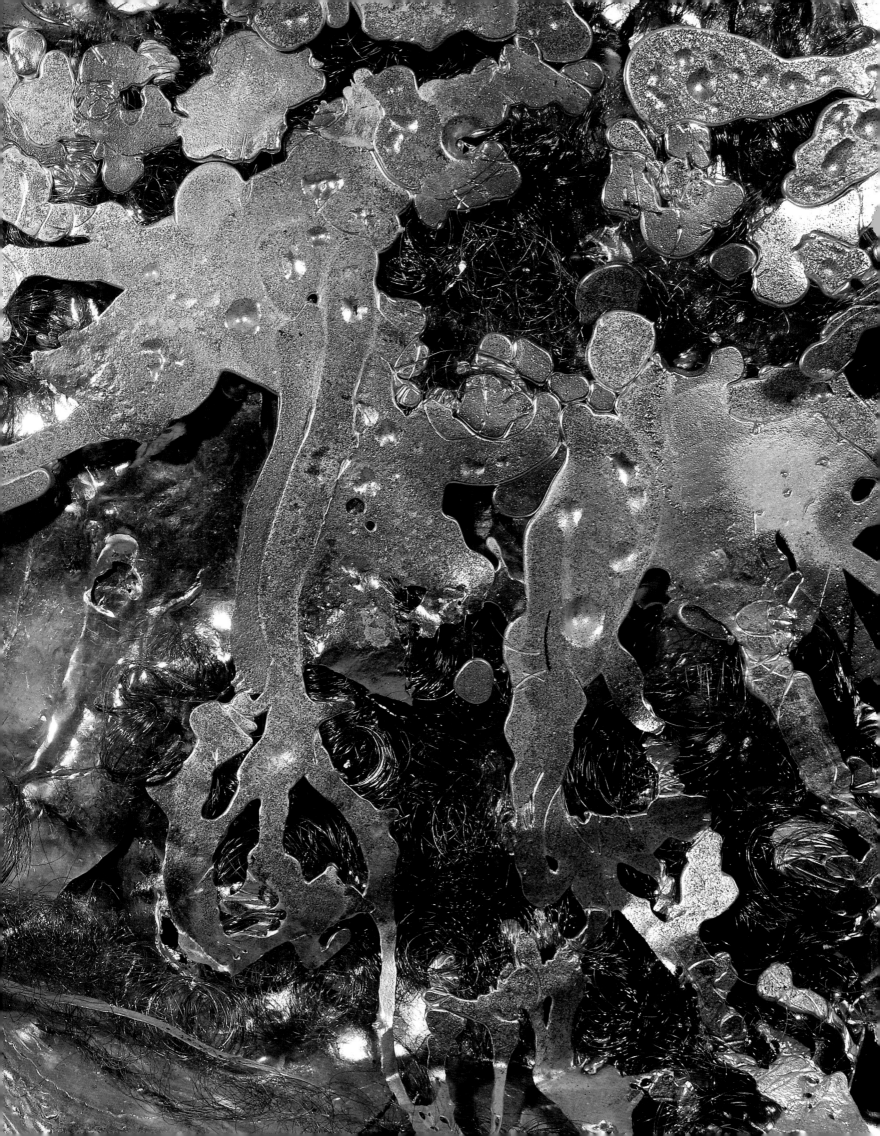

Le rôle des pissenlits, hier et aujourd'hui

Mohammad-Reza Haeri

Architecte
Téhéran, December 2014

Ô Pissenlit ! de quelles nouvelles es-tu porteur D'où me les apportes-tu et de quoi parlent-elles? Il s'est écoulé un demi-siècle entre le pissenlit évoqué par Mehdi Akhavan Sales et les pissenlits de Maryam Salour. Akhavan Sales interpelle ainsi le pissenlit : « Pars là où l'on t'attend …. Autour de la terrasse et en moi tu tournes vainement… ». Un demi-siècle plus tard, Maryam Salour cultivait non seulement ce pissenlit dépité d'Akhavan mais également toute une kyrielle de pissenlits chantants et aventuriers pour les offrir à nos regards.

Tu te dis probablement que tous ces pissenlits… toute cette diversité… tant d'enthousiasme… à une époque où il ne neige plus et où règne la pollution… Et tu ne peux, face à eux, que te réjouir… Car … au-delà de la pollution et de l'agitation, les pissenlits de Maryam Salour apportent la promesse d'une autre vie, d'une autre façon d'être et de voir les choses. Tu as envie de vivre comme eux… avec leur légèreté… être prêt à t'envoler, aimer mais ne pas t'attacher… échapper aux blessures… Comme les pissenlits tu voudrais être bon et rempli de pensées sincères… Comme les pissenlits, être résolu et déterminé.

Maryam Salour est bien déterminée cette fois à transmettre le récit de ses pissenlits pour en animer le plafond, le mur et le balcon de l'avenir au moyen de ses tableaux.

Dans ce récit, l'espace entier intègre les pissenlits et ces derniers enveloppent l'espace de l'existence. Dans l'espace de l'exposition, le lieu et le temps regorgent de l'existence des pissenlits. Dès que le regard se fait intense, il pleut de partout des pissenlits, tous porteurs de bonnes nouvelles et d'espérance. Des pissenlits débordant de délicatesse et de l'art de la bienveillance. Nous les regardions de face tandis qu'eux nous observaient de six directions, allumant dans notre âme les étincelles du plaisir.

A présent, je voudrais bâtir une maison à partir des jardins, des murs, des épouvantails et des pissenlits de Maryam Salour. Car avec ses peintures, ses sculptures et ses idées, il devient possible d'imaginer un autre univers.

The Role of Dandelions Yesterday and Today

Mohammad-Reza Haeri

Architect
Tehran, December 2017

Ah, dandelion, what news have you brought?
Whence, from whom, and what?

From the dandelions of poet Mehdi Akhavan-Sales to those of Maryam Salour half a century has elapsed. Akhavan-Sales commanded: "Go where they expect you.... Waste not your time here, adrift around me...." Maryam Salour has trained the heartbroken dandelions of Sales to swing and sing with purpose before our eyes.

You ask yourself, why so many dandelions? Why so much levity, diversity, all at a time so polluted, when it won't snow?

Beyond suffocation and uncertainty, however, these dandelions bring you news of another way of seeing of being. You want to live like them, light, ready to go airborne, to have heart but also to let go, to not be upset, to be kind, and filled with real dreams, to be determined.

Maryam Salour is determined to have her dandelions paint the vistas of the future within the frames of her paintings.

Salour's dandelions fill our being. In her narrative, it is not space that supports the dandelions but the dandelions that fill the space of being. The gallery, the earth, and time is brimming with dandelions. In the charged moment of encounter, dandelions are dancing, bringing good tidings, suffused with hope....

These are dandelions graced by delicacy, softness, and kindness. We look at them and they kept a close watch from all direction to kindle the dried grass of our joy.

I now want to build a house from the gardens, scarecrows, and the dandelions of Maryam Salour, an artist who can create another world with her forms, sculpture, and thoughts.

چیدمان قاصدک‌ها | گالری ایرانشهر | قلع | ۱۳۹۶

Installation des Pissenlits | Galerie d'Art Iranshahr| Étain et Miroir
Dandelions (installation) | Iranshahr Art Gallery | Tin and Mirror
50 x 50 cm | 2017

قاصدک‌ها شماره‌ی ۱ (از مجموعه‌ی قاصدک‌ها) | ترکیب مواد، کاغذ، آینه برروی بوم | ۱۳۹۶ ‹

Pissenlits No.1 (Collection Pissenlits) | Mix Média ,Papier, Miroir sur Toile
"Dandelions No.1" (Dandelions Collection) | Mix media,paper, mirror on canvas
135 x 220 cm | 2017

قاصدک‌ها شماره‌ی ۴ (از مجموعه‌ی قاصدک‌ها) | ترکیب مواد، کاغذ، آینه برروی بوم | ۱۳۹۶ ‹

Pissenlits No.4(Collection Pissenlits) | Mix Média ,Papier, Miroir sur Toile
"Dandelions No.4" (*Dandelions* Collection) | Mix media,paper, mirror on canvas
135 x 220 cm | 2017

چیدمان قاصدک‌ها | گالری ایرانشهر | قلع و آینه | ۱۳۹۶

Installation des Pissenlits | Galerie d'Art d'Iranshahre | Étain et Miroir
Dandelions (installation) | Iranshahre Art gallery | Tin and Mirror
30 X30 cm | 2017

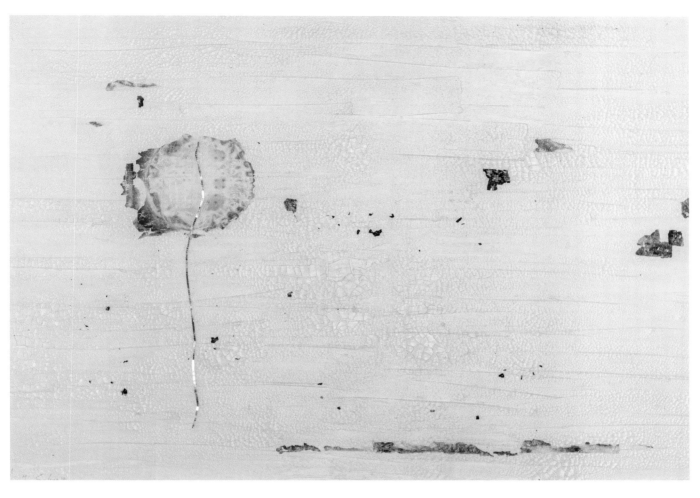

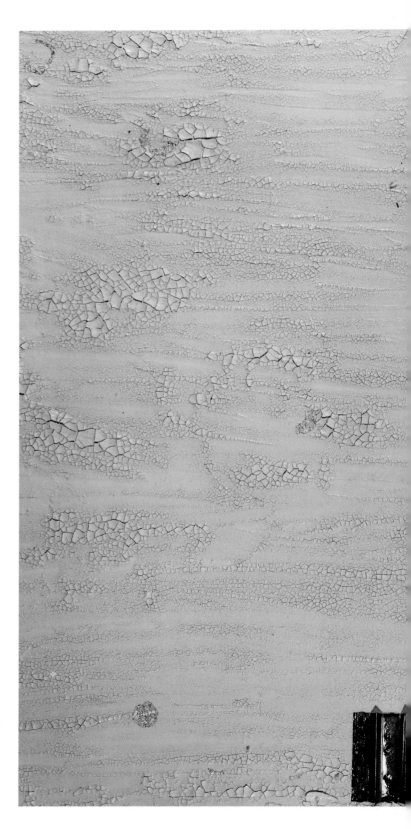

قاصدک شماره‌ی ۵ (از مجموعه‌ی قاصدک‌ها) | ترکیب مواد، کاغذ، آینه برروی بوم | ۱۳۹۶

Pissenlits No.5(Collection Pissenlits) | Mix Média, Papier, Miroir sur Toile
"Dandelions No.5" (Dandelions Collection) | Mix Media, Paper, Mirror on Canvas |
135 x 220 cm | 2017

» ما در صلح، ما اینچنین ..در صلح، ما و صلح؟ | چیدمان مواد مختلف روی بوم، کاغذ، جوهر، کالک چاپ شده، قلع | ۱۳۹۷
Nous, en Paix? Nous en Paix, de Cette Façon? Nous, et la Paix? L'Installation | Mix Média
sur Toile, Papier, Encre, Papier Calque Imprimé, Étain |
Us in Peace? Us in Peace in Such Manner? Peace and Us ? Installation | Mix Media on Canvas,
Paper, Ink Printed Translucent Paper, Tin | 120 x 170 cm | 2018

نقش قاصدک‌های دیروز و امروز

محمدرضا حائری

معمار

تهران، آذر ۱۳۹۶

قاصدک هان چه خبر آوردی؟
از کجا وز که خبر آوردی؟

از قاصـدک مهـدی اخوان‌ثالـث تـا قاصدک‌هـای مریـم سـالور نیم قـرن زمان گذشـته اسـت. اخوان‌ثالـث، قاصـدک را آواز داد که: برو آنجا که تـورا منتظرند... گـِردِ بـام و در مـن بی‌ثمـر می‌گـردی... نیـم قـرن بعد مریم سـالور نـه تنها آن قاصـدک دل شکسـته‌ی اخـوان را؛ که گروهی از قاصدک‌هـای آواز خوان و دل بـه دریـازن را تربیـت کـرد و در برابر دیدگان مـا نهاد...
بـا خـود می‌گویـی ایـن همـه قاصـدک... ایـن همه تنـوع... ایـن همه شـوق... آن هـم در ایامـی کـه بـرف نمی‌بـارد... آن هـم در ایامـی این چنین آلـوده... به شـعف می‌آیی...
چراکـه... در فراسـوی آلودگـی و تزلـزل، قاصدک‌هـای سـالور بـرای دیگـر بـودن و دیگـر دیـدن، زندگـی دیگـری را نوید می‌دهنـد. دلـت می‌خواهد مثل قاصدک‌هـا زندگـی کنی... مثـل قاصدک ها سـبک... مثل قاصدک‌هـا آماده‌ی پـرواز... مثـل قاصدک دل بدهی امـا دل نبندی... دلگیر نشـوی... مثل قاصدک مهربـان باشـی مثـل قاصـدک سرشـار از خیال‌هـای حقیقـی... مثـل قاصدک مصمم باشـی...
مریـم سـالور این بـار، مصمم، روایـت قاصدک‌هایش را برای جان بخشـیدن به سـقف و دیـوار و ایوان آینده در قاب‌های نقاشـی بازگو کرده اسـت.
قاصدک‌هـای مریـم سـالور این‌بار تمـام فضای وجـود آدمی را در بـر می‌گیرند. در ایـن روایـت، فضـا قاصدک‌هـا را در بر گرفتـه و قاصدک‌ها فضـای وجود را. در فضای نمایشـگاه، زمین و زمان لبریز از وجود قاصدک‌ها اسـت. در لحظه‌ی سرشـارِ دیـدار، از در و دیـوار قاصـدک می‌بارید و همه خوش‌خبـر، همه پرامید... قاصدک‌هایـی مملـو از ظرافـت و لطافـت و صنعـتِ مهربانـی، کـه مـا از روبرو نگاهشـان می‌کردیم و آن‌ها شـش جهـت ما را می‌پاییدنـد و در جانمان خردک شـررهای شـوق را می‌افروختند.
اکنـون می‌خواهـم خانـه‌ای بسـازم... از باغ‌هـا و دیوارهـا و مترسـک‌ها و قاصدک‌هـای مریـم سـالور که بـا نقش‌ها و مجسمه‌ها و فکرهایـش می‌توان زمینـه و زمانـه‌ی دیگـری را بـه تصـور و تصویـر درآورد.

«قاصدک شماره‌ی ۱۳» (از مجموعه‌ی قاصدک‌ها) | ترکیب مواد، کاغذ، آینه، قلع برروی بوم | ۱۳۹۷

Pissenlit No 13 (collection Luminance) | Mix média, Papier, Miroir, Étain sur Toile
"Dandelion No 13" (Dandelion Collection) | Mix Media, Paper, Mirror, Tin on Canvas | 140 x 120 cm | 2018

قاصدک شماره‌ی ۶ (مجموعه‌ی قاصدک‌ها) | ترکیب مواد، کاغذ، آینه برروی بوم | ۱۳۹۶
Pissenlit No 6 (collection Luminance) | Mix média, Papier, Miroir, sur Toile
"Dandelion No 6" (Dandelion Collection) | Mix Media, Paper, Mirror on
Canvas | 135 x 220 cm | 2018

قاصدک شماره‌ی ۸ (مجموعه قاصدک‌ها) | ترکیب مواد، کاغذ، آینه برروی بوم | ۱۳۹۶
Pissenlit No 8 (collection Luminance) | Mix média, Papier, Miroir, sur Toile
"Dandelion No 8" (Dandelion Collection) | Mix Media, Paper, Mirror on Canvas
135 x 220 cm | 2018

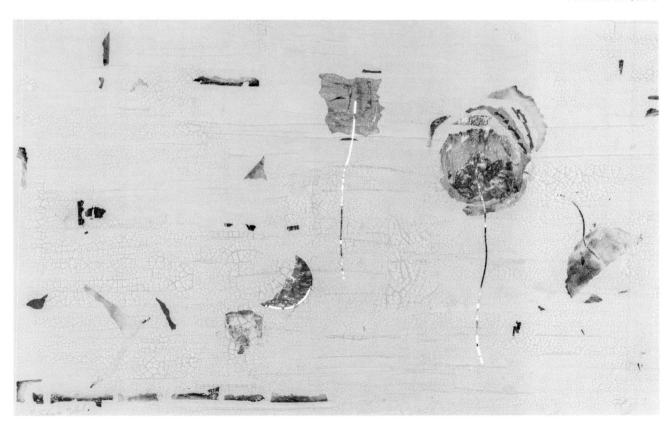

قاصدک آرام در سکوت وارد می‌شود

چرخ می‌زند،

فضایی سحرآمیز می‌آفریند،

مجذوبم می‌کند،

و با توشه‌ای از خاطره‌ها،

پیام‌ها و آرزوها،

در سکوت دور می‌شود و چیزی جز بی‌زمانی و شفافیت باقی نمی‌گذارد.

‹ قاصدک‌ها شماره‌ی ۱۰ (مجموعه‌ی قاصدک‌ها) | ترکیب مواد، کاغذ، آینه برروی بوم | ۱۳۹۶

Pissenlit No 1o (collection Luminance) | Mix média, Papier, Miroir,
"Dandelion No 10" (Dandelion Collection) | Mix Media, Paper, Mirror on Cavas |
135 x 220 cm | 2017

آدمک‌ها شماره‌ی ۴ | ترکیب مواد برروی بوم | ۱۳۹۵
Figures No 4 | Mixed Média sur Toile | ˝Figures No 4˝ | Mixed Media on Canvas | 180 x 120 cm | 2016

آدمک‌ها شماره‌ی ۳ | ترکیب مواد برروی بوم | ۱۳۹۵

"Figures No 3" | Mixed Média sur Toile | "Figures No 3" | Mixed Media on Canvas | 180 x 120 cm | 2016

فرشته‌های صور اسرافیل | ترکیب مواد، آهن برروی بوم | ۱۳۹۷ >

La Trompe d'Israfil | Mix Média et Fer sur Toile

The Trumpet of Israfil | Mix Media, Iron on Canvas | 180 x 120 cm | 2018

آدمک‌ها شماره‌ی ۱ | ترکیب مواد برروی بوم | ۱۳۹۵

Figures No 1 | Mixed Média sur Toile

"Figures No 1" | Mixed Media on Canvas | 140 x 180 cm | 2016

Figures No 5 | Mixed Média sur Toile | ″Figures No 5″ | Mixed Media on Canvas | 160 x 220 cm | 2017   آدمک‌ها شماره‌ی ۵ | ترکیب مواد برروی بوم | ۱۳۹۶

آدمک شماره‌ی ۲ | ترکیب مواد برروی بوم | ۱۳۹۵
Figures No2 | Mixed Média sur Toile
"Figures No 2" | Mixed Media on Canvas
180 x 120 cm | 2016

بودا | ترکیب مواد | ۱۳۹۵
Buddha | Mix Média sur Toile
The Buddha | Mix Media on Canvas
120 x 180 cm | 2016

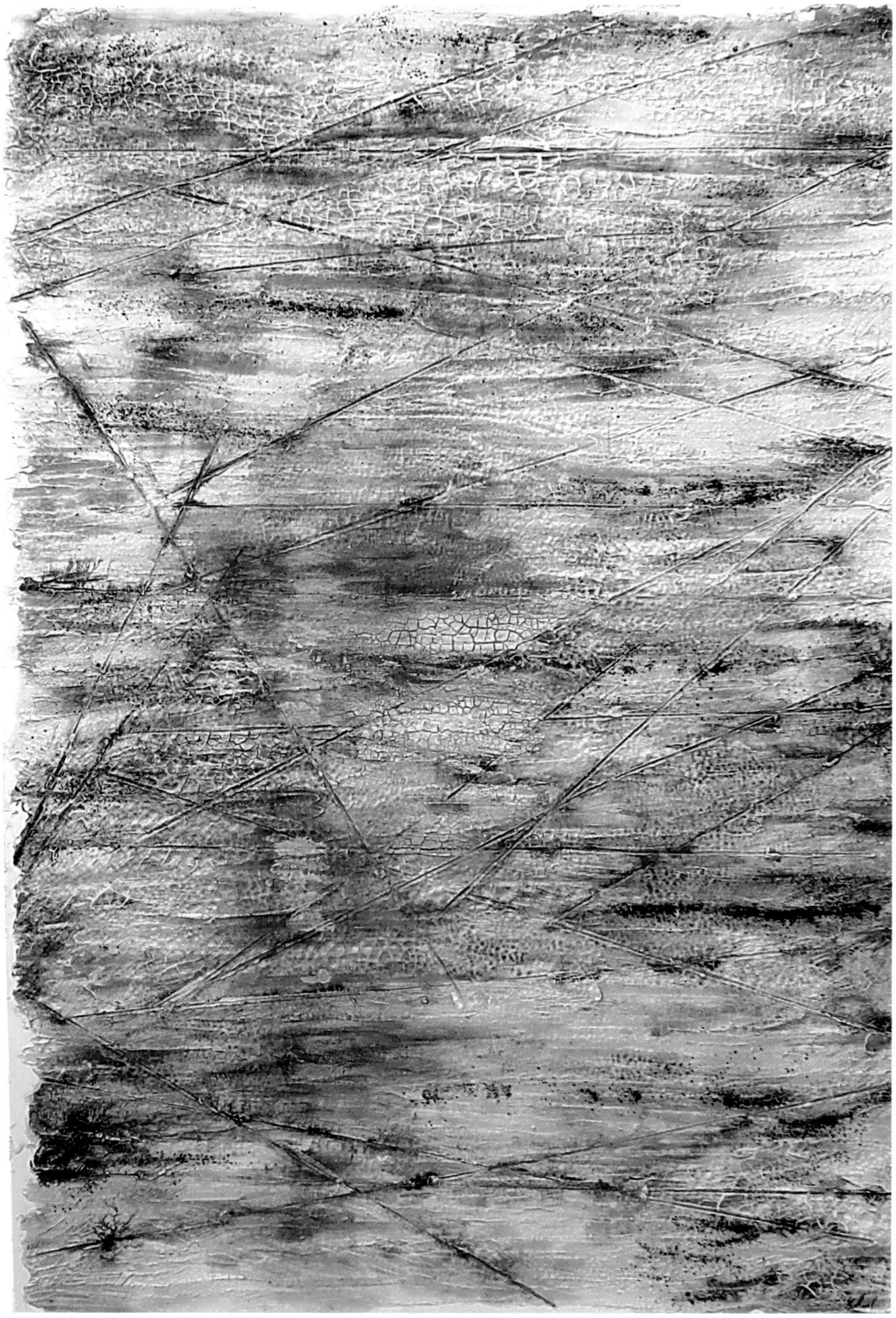

بدون عنوان | ترکیب مواد برروی بوم | ۱۳۹۴
Sans Titre | Mix Média
Untitled | Mix Media on Canvas
180 x 120 cm | 2015

بدون عنوان | ترکیب مواد | ۱۳۹۵
Sans Titre | Mix média sur Toile | *Untitled* | Mix Media on Canvas | 180 x120 cm | 2017

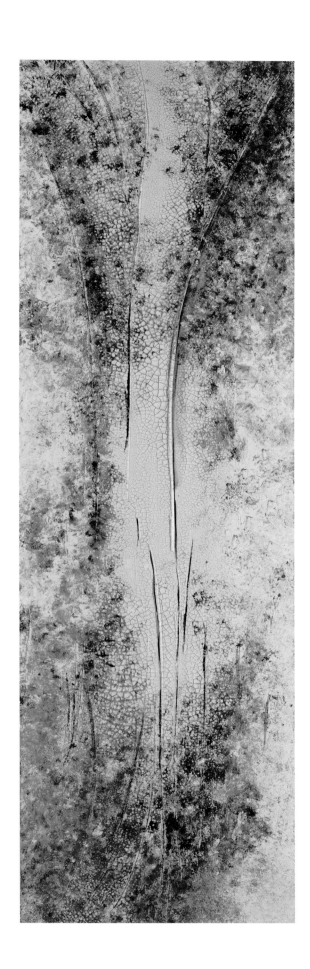

» بدون عنوان | ترکیب مواد برروی بوم | ۱۳۹۴

Sans Titre | Mix Média sur Toile
Untitled | Mix Media on Canvas
160 x 220 cm | 2015

‹ اردیبهشت | رنگ روغن و ترکیب مواد برروی بوم | ۱۳۹۵

Ordibehesht (Mai) | Huile et Mix Média sur Toile
Ordibehesht ("May") | Oil and Mix Media on Canvas
200 x 60 cm | 2016

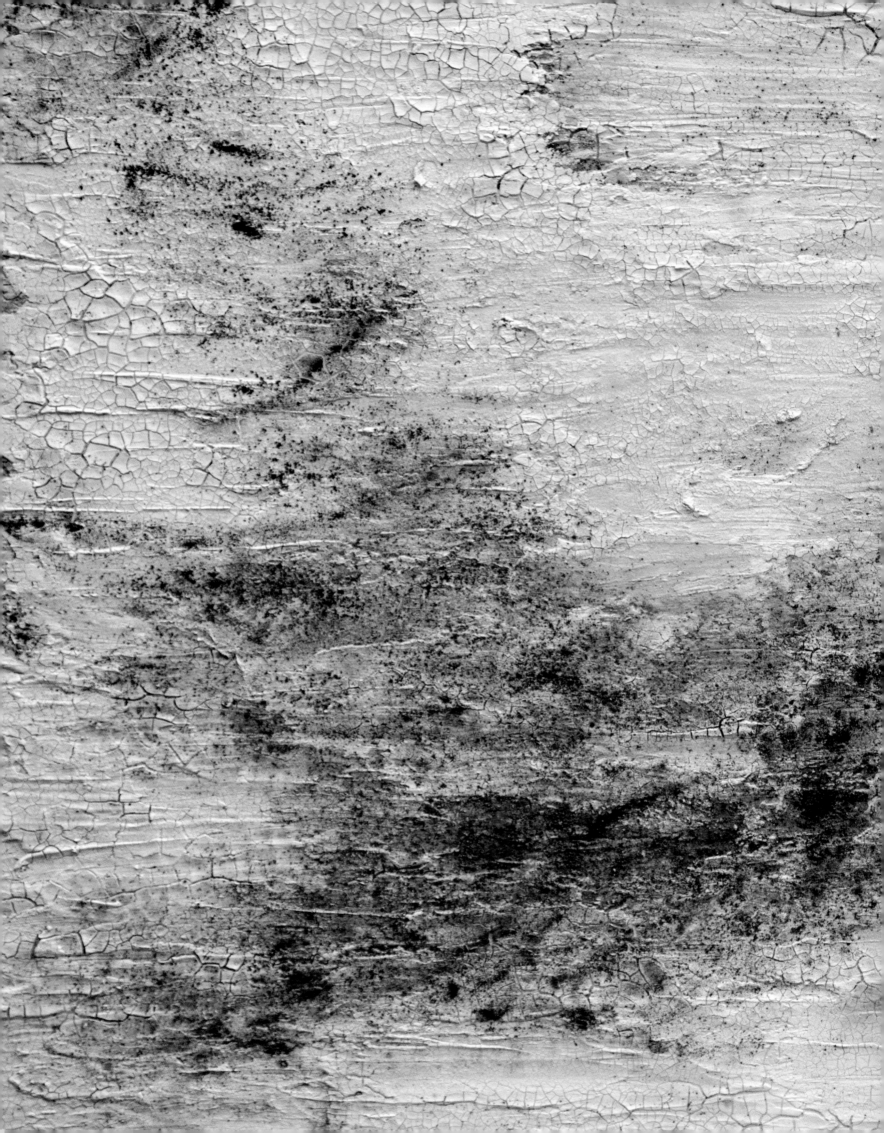

Les Épouvantails de Maryam Salour

Mohammad-Reza Haeri

Architecte
Mai 2014

A notre époque, se demande-t-on, est-il possible de créer des épouvantails qui dansent, joyeux comme une jeune mariée ou une poupée ? En effet, il semble impossible d'exhiber des épouvantails revêtus de soie par ces temps confus et tortueux.

Depuis plus d'une décennie, Maryam Salour a fait naître des épouvantails qu'elle a maternés et qu'elle présente maintenant au public puisqu'ils ont atteint leur maturité.

Ce sont des mariées sans visage qui portent des couronnes de fleurs et laissent entrevoir leurs âmes. Ce que nous voyons tout de suite, ce sont des épouvantails / poupées qui glissent sur les fins sables de l'Iran pour s'en éloigner. Pourtant, ils sont encore proches de nous et nous pouvons entendre leurs bourdonnements. Ce ne sont pas des spectres : contrairement aux épouvantails qui effraient, ceux-là ne nous agressent pas, ne nous envahissent pas. Nous les voyons et nous nous approchons d'eux. Les épouvantails de Maryam Salour aiguisent notre imagination et non notre inquiétude. Ils ont des histoires à raconter sous un ciel ouvert, lumineux et parsemé de nuages. En dépit de la fonction ancienne de leurs ancêtres, les épouvantails de Maryam Salour engendrent l'affection à tel point que nous pouvons les aimer. L'ambiance est amicale dans la plupart des cas, et on ne se lasse pas d'eux. Bien au contraire, ils nous font plaisir et, à travers eux, nous pouvons dialoguer avec nous-mêmes.

Maryam Salour est une artiste sublime. Elle donne une nouvelle vie à des objets auxquels nous nous sommes habitués. Par son acte de réinvention, Maryam Salour nous offre un regard renouvelé sur des objets ou des êtres ordinaires, qu'il s'agisse d'un épouvantail, d'un oiseau ou d'une fleur.

فرشته شماره‌ی۲ (مجموعه‌ی مترسک‌ها) | چاپ روی کاغذ نقاشی، کلاژ، جوهر، مداد رنگی و پاستل |
۱۳۹۱

L'Ange No. 2 (Collection Epouvantail) | Imprimée sur Papier à Dessin, Collage, Encre, Pastel, Papier Calque Imprimé
"Angel No.2" (Scarecrows Collection) |Print on Drawing Paper, Collage, Ink, Pastel, Printed Translucent Paper
70 X 100 cm | 2012

Scarecrows of Maryam Salour

Mohammad-Reza Haeri

Architect
May 2014

You ask, how can anyone raise scarecrows that dance – bride- and trance-like – in these convex, devious and scarecrow times? It seems impossible, indeed, to place velvety, angelic scarecrows at the center of our distorted and confused world.

For more than a decade, Maryam Salour has given birth to and raised these scarecrows, and she is now sharing them with her audience in their maturity.

They are faceless brides, wearing a garland of flowers as headdress, whose souls can be peeked at. What we see immediately are scarecrows (scarecrow + doll) that slither on the softest sands of Iran to the beyond, although they are close enough for us to hear them. They are no apparitions. Contrary to scarecrows meant to keep us away, they do not evoke fear. They do not charge or invade us. We see and approach them. The scarecrows of Salour kindle our imagination, not our trepidation. They have stories to tell, under open, bright skies dotted with vivid clouds. Despite the long-standing, ancient function of their ancestors, the scarecrows of Maryam Salour beget amity, to the point that we can like them. The atmosphere pervading most of these frames is amiable. You don't get weary of them. In fact, they delight and, through their medium, you start a dialogue with yourself.

Maryam Salour is a sublime artist. She gives new life to objects we have grown accustomed to through force of habit. Through an act of reinvention, Salour offers us another way of looking at ordinary objects, be they a scarecrow or a bird, garden, flower, or clay.

خرد شماره‌ی ۱ (مجموعه‌ی مترسک‌ها) | چاپ روی کاغذ نقاشی، کلاژ، جوهر، مداد رنگی، پاستل | ۱۳۹۱

Sagesse Nu. 1 (Collection Epouvantail) | Imprimé sur Papier à Dessin, Collage, Encre, Crayon de Couleur, Pastel
Wisdom No.1(Scarecrows Collection) | Print on Drawing Paper, Collage, Ink, Colored Pencil, Pastel
100 X 70 cm | 2012

≪ فرشته شماره‌ی ۳ (از سری روشنایی)
چاپ روی کاغذ نقاشی، کلاژ، جوهر، آینه، قلع | ۱۳۹۶
L'Ange No. 3 (Collection Luminance) | Imprimé sur Papier à Dessin, Collage, Encre, Papier Calque Imprimé, Miroir, Étain
"Angel No. 3" (Luminance Collection) | Print on Drawing Paper, Collage, Ink, Pencil, Printek, Pastel, Printed Translucent Paper
70 X 100 cm | 2018

مترسک‌ها (مجموعه‌ی روشنایی) | چاپ روی کاغذ نقاشی، کلاژ، جوهر، آینه، قلع | ۱۳۹۶

Epouvantail (Collection Luminance) | Imprimée sur Papier à Dessin, Collage, Encre, Papier
Calque Imprimé, Miroir, Étain
"Scarecrows" (Luminance Collection) | Print on Drawing Paper, Collage, Ink, Pencil, Printed
Translucent Paper, Mirror, Tin
70 X 100 cm | 2018

مترسک‌ها (مجموعه‌ی روشنایی) | چاپ روی کاغذ نقاشی، کلاژ، جوهر، آینه، قلع | ۱۳۹۶

Epouvantail (Collection Luminance) | Imprimé sur Papier à Dessin, Col-
lage, Encre, Papier Calque Imprimé, Miroir, Étain
"Scarecrows" (Luminance Collection) | Print on Drawing Paper, Collage,
Ink, Pencil, Printed Translucent Paper, Mirror, Tin | 70 X 100 cm | 2018

Là où l'homme perd espoir,
l'épouvantail, lui ose avancer sans crainte.

The place man despairs,
the scarecrow fearlessly dares.

» خرد شماره‌ی ۲ (مجموعه‌ی مترسک‌ها) | چاپ روی کاغذ نقاشی، کلاژ، جوهر، مداد رنگی، پاستل | ۱۳۹۱

Sagesse No. 2 (Collection Epouvantail) | Imprimé sur Papier
"Wisdom No.2" (Scarecrows Collection) | Print on Drawing
100 X 70 cm | 2012

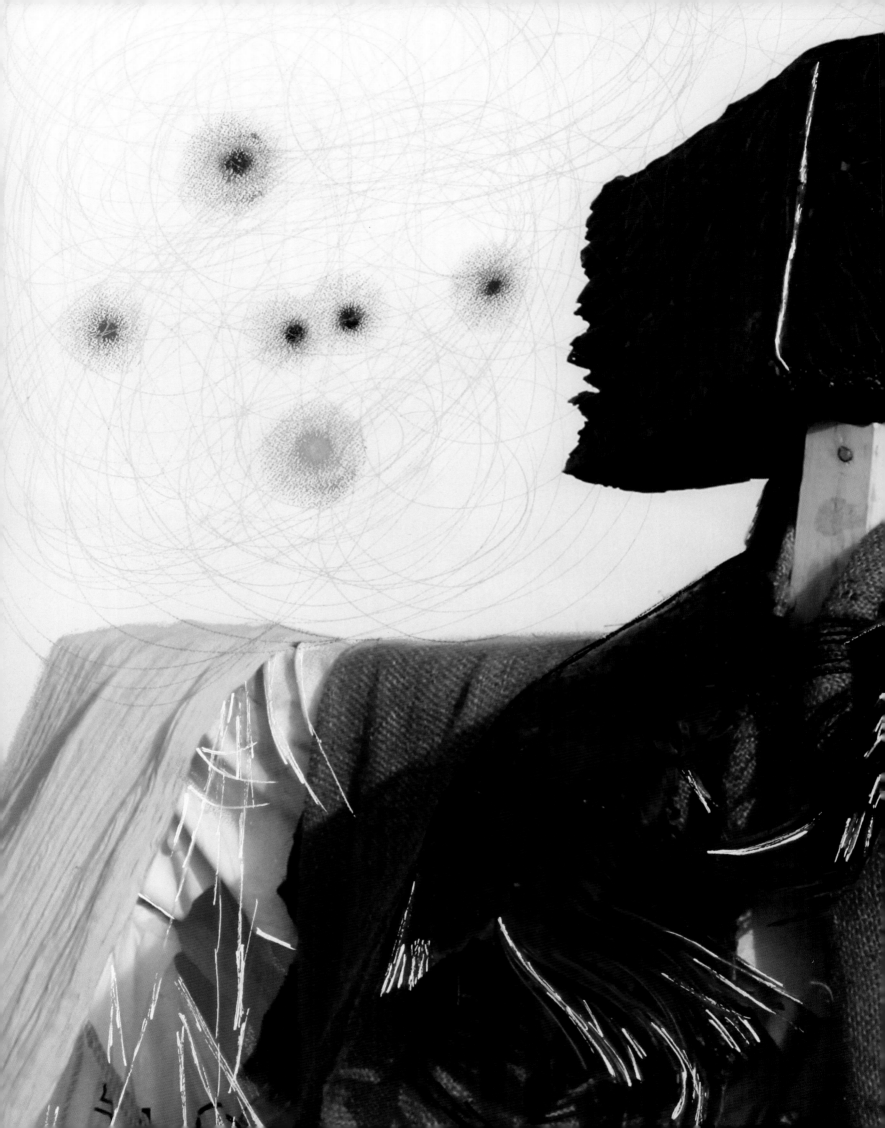

در جایی که انسان نمی‌تواند بایستد،
مترسک را جایگزین خود می‌کند.

روباه شماره‌ی ۱ (مجموعه‌ی مترسک‌ها) | چاپ روی کاغذ نقاشی، کلاژ، جوهر، کاغذ کالک | ۱۳۹۱

Renard No. 1 (Collection Epouvantail) | Imprimée sur Papier à Dessin,
Collage, Encre, Papier Calque
"Fox No. 1" (Scarecrows Collection) | Print on Drawing Paper, Collage, Ink,
Colored Pencil, Translucent Paper
100 X 70 cm | 2012

مترسک‌های مریم سالور

محمدرضا حائری

معمار

اردیبهشت ۱۳۹۳

از خود می‌پرسی در این ایام مترسک‌بار کز در و دیوار می‌بارند کوژی وکژی، آیا می‌توان مترسک‌هایی آفرید رقصنده؟ عروسان؟ شعف‌انگیز؟ مشکل بتوان از دل چنین پیرامونی آشفته در مرکز بینایی و تعجب مخاطب، مترسک‌های پرنیان‌پوش را به نمایش درآورد.

مریم سالور بیش از ده سال است که این مترسک‌ها را به دنیا آورده، پرورانده و اکنون بلوغ خیال‌انگیز آن‌ها را با مخاطبانش سهیم شده است.

آن‌ها عروس‌های بی‌صورت هستند، با تاج گُلی بر سر. سیرتشان را هم می‌توان حدس زد. آنچه می‌بینیم در یک نظر، این متروسک‌ها (مترسک + عروسک) بر روی نرم‌ترین خاک‌های ایران می‌خرامند و دور می‌شوند. اگرچه هم‌چنان نزدیک هستند و ما شاهد داستان‌های آمد و شدشان هستیم. آن‌ها با خود اوهامی را زمزمه می‌کنند که ما آن را می‌شنویم اما وهمی ندارند. آن‌ها توهمی را انتقال نمی‌دهند، برخورنده و رَماننده نیستند. برخلاف طبیعت مترسک‌ها که می‌بایست آن‌ها را دید و دور شد. ما مترسک‌ها را می‌بینیم و بدان‌ها نزدیک می‌شویم. متروسک‌های سالور خیال‌انگیز هستند که وهمناک نه، حکایت‌های شنیدنی دارند و با دیدنشان ترسی در دل ایجاد نمی‌شود، خاصه فضای باز و آفتابی با ابرهای روشن تابلوها جای هیچ ترس و وهمی را باقی نمی‌گذارند. این مترسک‌ها در مقایسه با تاریخ دیرپای مترسک‌های عالَم، بسیار آفریننده‌ی دوستی هستند، چنانکه می‌توان بدان‌ها علاقمند شد. فضای بیشتر تابلوها دوست‌داشتنی هستند، خسته نمی‌شوی، شادی می‌گیردت و با خود گفت‌وگویی را آغاز می‌کنی که از فضاسازی خیال‌انگیز سالور با محوریت متروسک‌ها حیات می‌گیرند.

مریم سالور هنرمندی ممتاز است. امتیاز او بازآفرینی چیزهایی است که به اعتبار عادات ذهنی پذیرفته و عادی شده‌اند، اما سالور گونه‌های دیگر از نگریستن بدان‌ها را عرضه می‌کند. همچنان که تاکنون به پرنده، به باغ، به گُل، به گِل و به همه‌ی آنچه که دچار روزمرگی شده‌اند اما همچنان دستمایه‌های آفرینش هستند نگریسته است.

روباه شماره ۲ (مجموعه‌ی مترسک‌ها) چاپ روی کاغذ نقاشی و مواد مختلف | ۱۳۹۱

Renard No. 2 | (Collection Epouvantail) | Imprimé sur Papier à Dessin, Mixed Media
"Fox No. 2" | (Scarecrows Collection) | Print on Drawing Paper, Mixed Media
70 X 100 cm | 2012

Le Temps... le Temps fait sa propre expérience à travers nous ...

Time... Time experiences itself through us.

‹ ۱۳۹۰ | بیابان | رنگ روغن و ترکیب مواد برروی بوم
Le Désert | Huile et Mix Média sur Toile
"Desert" | Oil and Mix Media on Canvas | 140 x 120 cm | 2011

« Lac Salé | Mix Média sur Toile | "Salt Lake" | Mix Media on Canvas |140x 180 cm | 2009 | ۱۳۸۸ | ترکیب مواد برروی بوم | دریاچه‌ی نمک

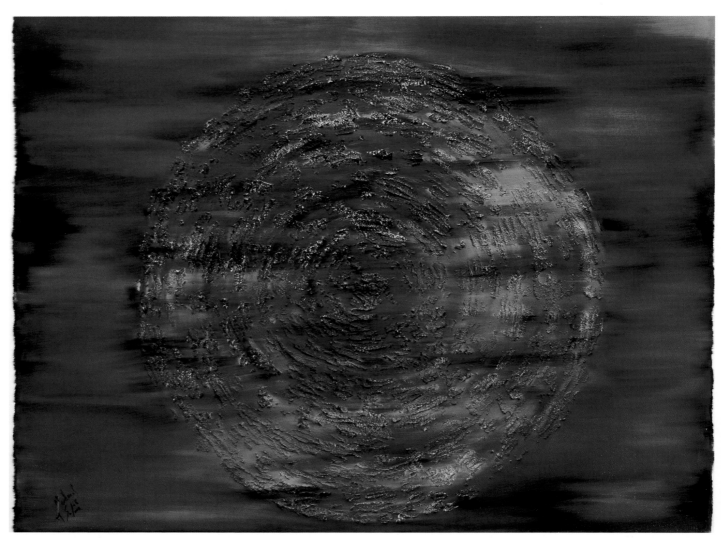

کهکشان | رنگ روغن و ترکیب مواد برروی بوم | ۱۳۸۷

Galaxie | Huile et Mixed Média sur Toile
Galaxy | Oil and Mixed Media on Canvas
140 x 180 cm | 2008

کمی هوای تازه | گالری اعتماد | تهران | ۱۳۸۹ »

Un Peu d'Air Frais | Galerie Etemad | Téhéran
A Little Fresh Air | Etemad Gallery | Tehran | 2010

دریاچه‌ی نمک | ترکیب مواد برروی بوم | ۱۳۸۸
Lac Salé | Mix Média sur Toile
Salt Lake | Mix Media on Canvas
140 x 180 cm | 2009

< ذهن | مفتول آهنی | ۱۳۹۰
Esprit | Fil métallique |
Mind | Metallic wire | 30 cm | 2011

کمی هوای تازه | گالری منوار دو کلونی | ژنو | ۱۳۹۰

Un Peu d'Air Frais | Galerie Manoir de Cologny | Genève
A Little Fresh Air | Manoir de Cologny Gallery | Geneva | 2011

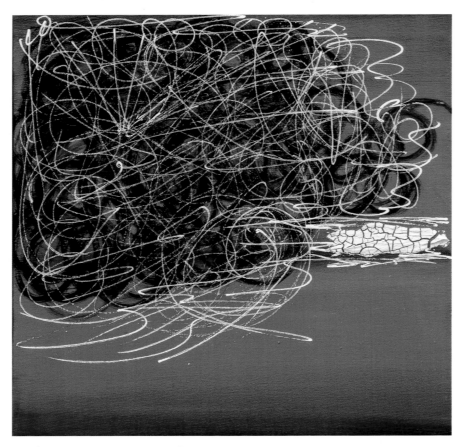

بدون عنوان | رنگ روغن و ترکیب مواد برروی بوم | ۱۳۹۰
Sans Titre | Huile et Mixed Média sur Toile
Untitled | Oil and Mixed Media on Canvas | 40 x 40 cm | 2011

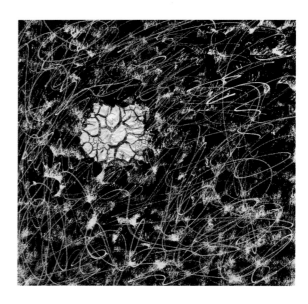

بدون عنوان | رنگ روغن و ترکیب مواد برروی بوم | ۱۳۹۰
Sans Titre | Huile et Mixed Média sur Toile
Untitled | Oil and Mixed Media on Canvas | 40 x 40 cm | 2011

بدون عنوان | رنگ روغن و ترکیب مواد برروی بوم | ۱۳۹۰
Sans Titre | Huile et Mixed Média sur Toile
Untitled |Oil and Mixed Media on Canvas | 40 x 40 cm | 2011

La pluie tombe, ...par la fenêtre je vois
qu'elle lave toute chose
et moi avec

It's raining,... I can see it
Through the window,
It washes everything,
Including me....

بدون عنوان | رنگ روغن و ترکیب مواد برروی بوم | ۱۳۹۰
Sans Titre | Huile et Mixed Média sur Toile
Untitled | Oil and Mixed Media on Canvas |
40 x 40 cm | 2011

خط زمان | رنگ روغن و ترکیب مواد برروی بوم | ۱۳۹۰
La ligne du Temps | Huile et Mixed Média sur Toile
Time Line | Oil and Mixed Media on Canvas |
140 x 180 cm | 2010

بدون عنوان | رنگ روغن و ترکیب مواد برروی بوم | ۱۳۹۰
Sans Titre | Huile et Mixed Média sur Toile
Untitled | Oil and Mixed Media on Canvas | 40 x 40 cm | 2011

بدون عنوان | رنگ روغن و ترکیب مواد برروی بوم | ۱۳۹۰
Sans Titre | Huile et Mixed Média sur Toile
Untitled | Oil and Mixed Media on Canvas
40 x 40 cm | 2011

باران می بارد...
از پنجره می‌بینم،
می‌شوید همه‌چیز را ،
مرا هم ...

زمان... زمان از طریق ما خود را تجربه می‌کند.

کهکشان | رنگ روغن و ترکیب مواد برروی بوم | ۱۳۸۷
Galaxie | Huile et Mixed Média sur Toile
Galaxy | Oil and Mixed Media on Canvas
160 x 150 cm | 2008

خط زمان | رنگ روغن و ترکیب مواد برروی بوم | ۱۳۸۹
La ligne du Temps | Huile et Mixed Média sur Toile
Time Line | Oil and Mixed Media on Canvas | 140 x 180 cm | 2010

خط زمان | رنگ روغن وترکیب مواد برروی بوم | ۱۳۸۹
La Ligne du Temps | Huile et Mixed Média sur Toile
Time Line | Oil and Mixed Media on Canvas | 140 x 180 cm | 2010

«خط زمان | رنگ روغن و ترکیب مواد برروی بوم | ۱۳۸۹

La Ligne du Temps | Huile et Mixed Média sur Toile
Time Line | Oil and Mixed Media on Canvas | 140 x 180 cm | 2010

کمی هوای تازه | گالری اعتماد | تهران | ۱۳۸۹

Un Peu d'Air Frais | Galerie Etemad | Téhéran
A Little Fresh Air | Etemad Art Gallery | Tehran | 2010

Le temps, ici, n'est pas une mesure.
Un an ne compte pas, dix ans ne sont rien.
Etre artiste, c'est ne pas compter,
c'est croître comme l'arbre qui ne presse pas sa sève,
qui résiste, confiant, aux grands vents du printemps,
sans craindre que l'été puisse ne pas venir. L'été vient.
Mais il ne vient que pour ceux qui savent attendre,
aussi tranquilles et ouverts
que s'ils avaient l'éternité devant eux.
Je l'apprends tous les jours au prix
de souffrances que je bénis : patience est tout.

Rainer Maria Rilke, Lettres à jeune Poète

In this there is no measuring with time,
a year doesn't matter, and ten years are nothing.
Being an artist means: not numbering and counting,
but ripening like a tree, which doesn't force its sap,
and stands confidently in the storms of spring,
not afraid that afterward summer may not come.
It does come. But it comes only to those who are patient,
who are there as if eternity lay before them,
so unconcernedly silent and vast.
I learn it every day of my life,
learn it with pain I am grateful for: patience is everything!

Rainer Maria Rilke, Letters to a Young Poet

دفتر خاطرات | گل سفید، خمیر کاغذ، اکسیدهای فلزی، مرکب سیاه و سفید، اکریلیک برروی بوم | ۱۳۸۷
Journal Intime | Terre Blanche, Papier Mâché, Oxydes Métalliques, Encre Noire, Acrylique sur Toile
Diary | White clay, paper mache, metal oxides, black, ink, acrylic on canvas | 150 x 175 cm | 2008

زمان در هنر سنجش‌ناپذیر است،

یک سال به حساب نمی‌آید، ده سال چیزی نیست.

هنرمند بودن چرتکه انداختن نیست،

بلکه رشد کردن درختی است که در میوه دادن شتابی به خرج نمی‌دهد

و در برابر بادهای بهاری مقاوم و استوار ایستاده است،

بی‌آنکه دلواپس دیر شدن تابستان باشد.

تابستان خواهد رسید

لیکن برای آنها که شکیبایی را آموخته‌اند و آسوده و آرام،

گویی که ابدیت را در برابر خود دارند.

ما همه روزه به ازای رنج‌هایی که می‌بریم آن را می‌آموزیم.

راینر ماریا ریلکه از کتاب نامه‌ای به یک شاعر جوان

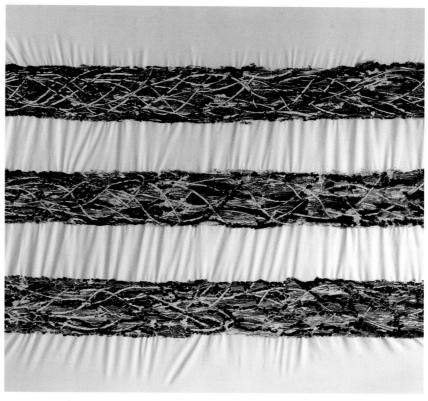

دفتر خاطرات | گل سفید، خمیر کاغذ، اکسیدهای فلزی، مرکب سیاه و رنگی، اکرلیک برروی بوم | ۱۳۸۷
Journal Intime | Terre Blanche, Papier Mâché, Oxydes Métalliques, Encre Noire , Acrylique sur Toile
Diary | White clay, paper mache, metal oxides, black ink, acrylic on canvas | 160 x 150 cm | 2008

دفتر خاطرات | گل سفید، خمیر کاغذ، اکسیدهای فلزی، مرکب سیاه و رنگی، اکرلیک برروی بوم | ۱۳۸۷
Journal Intime | Terre Blanche, Papier Mâché, Oxydes Métalliques, Encre Noire , Acrylique sur Toile
Diary | White clay, paper mache, metal oxides, black ink, acrylic on canvas | 140 x 160 cm | 2008

دفتر خاطرات | گل سفید، خمیر کاغذ، اکسیدهای فلزی، مرکب سیاه و رنگی، اکرلیک برروی بوم | ۱۳۸۷
Journal Intime | Terre Blanche, Papier Mâché, Oxydes Métalliques, Encre Noire , Acrylique sur Toile
Diary | White Clay, Paper Mache, Metal Oxides, Black Ink, Acrylic on Canvas | 150 x 175 cm | 2008

<< دفتر خاطرات | گل سفید، خمیر کاغذ، اکسیدهای فلزی، مرکب سیاه و رنگی، اکرلیک برروی بوم | ۱۳۸۷
Journal Intime | Terre Blanche, Papier Mâché, Oxydes Métalliques, Encre Noire et Colorée, Acrylique sur Toile
Diary | White Clay, Paper Mache, Metal Oxides, Black and Colored Ink, Acrylic on Canvas | 140 x 180 cm | 2008

دفتر خاطرات | گل سفید، خمیر کاغذ، اکسیدهای فلزی، مرکب سیاه و رنگی، اکرلیک برروی بوم | ۱۳۸۷
Journal Intime | Terre Blanche, Papier Mâché, Oxydes Métalliques, Encre Noire , Acrylique sur Toile
Diary | White Clay, Paper Mâche, Metal Oxides, Black Ink, Acrylic on Canvas | 150 x 175 cm | 2008

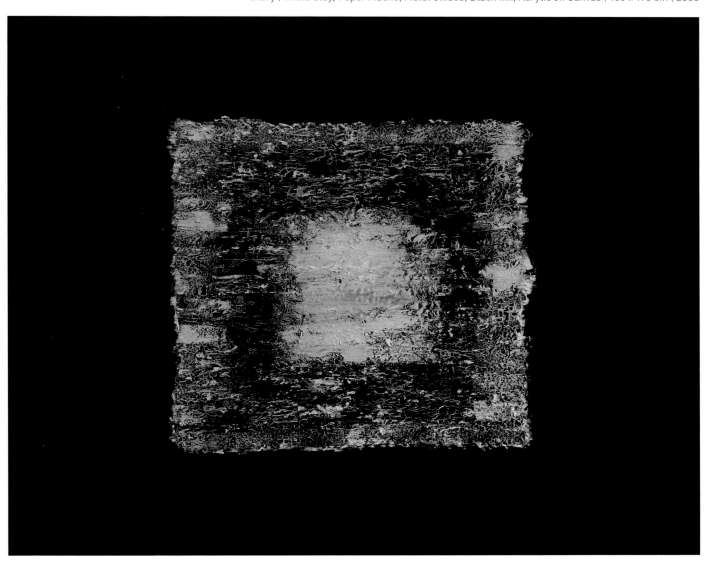

نقاشـــی و کلاژ

دفترچه‌ی خاطرات

کمی هوای تازه

مترسک‌ها

آدمک‌ها

قاصدک‌ها

روشنایی

Installations
Installations

Perplexité
Perplexity

Tchahar Bagh, Le Réve d'un
Paradis Perdu

Tchahar Bagh, The Dream of a
Lost Paradise

Observer la Terre
Observung the Earth

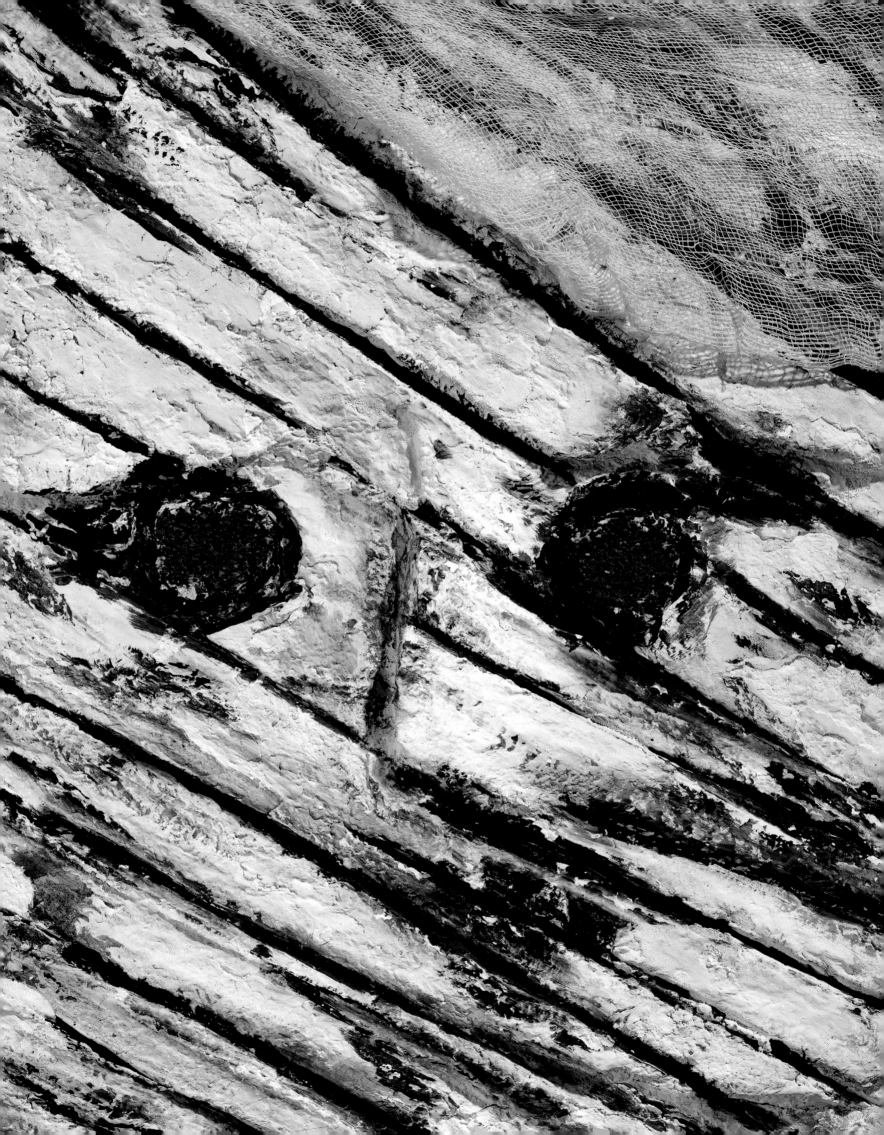

سرگشتگی | خمیر کاغذ، اکسیدهای فلزی، مرکب سیاه | ۱۳۸۴
Perplexité| Papier-Mâché,Oxydes Métalliques, Encre Noire
Perplexity | Papier-Mâché, Metal Oxides, Black Ink | 40 x 40 cm | 2005

L'art nous permet de nous retrouver et
de nous perdre en même temps.

Art enables us to find ourselves and
lose ourselves at the same time.

Thomas Merton

درخت | خمیر کاغذ، اکسیدهای فلزی، مرکب سیاه | ۱۳۸۴
L'Arbre | Papier-Mâché,Oxydes Métalliques, Encre Noire
Tree | Papier-Mâché, Metal Oxides, Black Ink | 260 x60 cm | 2005

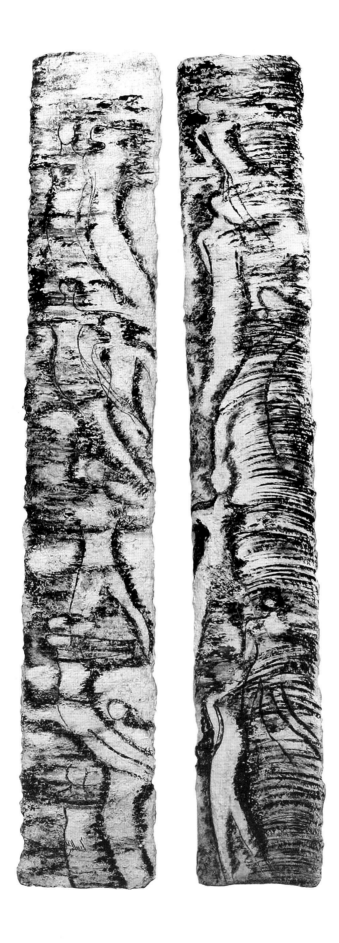

سرگشتگی | خمیر کاغذ، اکسیدهای فلزی، مرکب سیاه | ۱۳۸۴ ^
Perplexité| Papier-Mâché,Oxydes Métalliques, Encre Noire
Perplexity | Papier-Mâché, Metal Oxides, Black Ink | 40 x 40 cm | 2005

سرگشتگی | خمیر کاغذ، اکسیدهای فلزی، مرکب سیاه | ۱۳۸۴

Perplexité| Papier-Mâché,Oxydes Métalliques, Encre Noire
Perplexity | Papier-Mâché, Metal Oxides, Black Ink | 40 x 40 cm | 2005

هنر ما را قادر می‌سازد خودمان را پیدا کنیم
و در همان زمان از دست بدهیم.

توماس مرتون

سرگشتگی | خانه‌ی هنرمندان | تهران | ۱۳۸۴
Perplexité | Le Forum des Artists de | Téhéran
Perplexity | The Iranian Artists Forum | Tehran | 2005

سرگشتگی | خمیر کاغذ،اکسیدهای فلزی، مرکب سیاه | ۱۳۸۴

Perplexité| Papier-Mâché,Oxydes Métalliques, Encre Noire
Perplexity | Papier-Mâché, Metal Oxides, Black Ink | 40 x 40 cm | 2005

Le Jardin Imaginaire : les visions de l'infini

Ramin Jahanbegloo

Philosophe
Téhéran Le 10 Avril 2003

Le propre d'un artiste est de créer son monde. Au-delà de sa valeur et de sa solidité, l'art de Maryam Salour tient en ceci qu'il est véritablement un univers particulier. C'est un petit monde autonome qui ne ressemble que fugitivement à celui que nous connaissons d'habitude, mais en a toute l'épaisseur, le relief et l'opacité. A ce titre, le cas de Maryam Salour demeure rare dans la sculpture iranienne contemporaine. Chez elle, il ne s'agit plus seulement de se situer au seul niveau du sentiment esthétique mais d'entrer totalement dans un univers nouveau dont nous vivons d'emblée les mystères de la persanité. C'est surtout l'image du jardin persan, cette expression du paradis perdu, qui hante l'esprit de Maryam Salour. L'âme de l'Iran éternel est pour elle incarnée dans cet espace mystique où l'invisible se fait substance et pierre. Le travail de l'artiste est ici comme celui du philosophe qui, par le brassage d'une multitude de faits, arrive au concept, au plaisir abstrait d'une définition incommensurable, quelque chose à quoi aboutir qui est l'épreuve subjective du bonheur et la figure objective de la beauté pérenne. C'est ici que l'art de Maryam Salour rencontre l'héritage persan, comme le lieu privilégié de l'avènement de la mémoire, pour y établir son « chez soi ». D'où le sentiment de métamorphose en cours que nous éprouvons devant cette résurrection de la mémoire en forme de jardin persan et plus directement devant ce dialogue du style de Maryam Salour avec la fécondité de la terre. Un dialogue qui n'est pas un accident, mais qui est la vie même d'un art qui découvre l'immortalité.

Considéré dans son ensemble, l'art de Maryam Salour nous apparaît en définitive comme un geste poétique qui nous fait poser des questions sur la beauté intérieure des éléments, nous fait toucher la vie, nous ouvre les yeux et nous fait comprendre que la sculpture c'est autre chose qu'une imitation arbitraire de la réalité extérieure. C'est en quoi l'artiste s'affirme profondément et naturellement créateur. Contre un monde où ne demeure qu'une puissance de décadence, l'art de Maryam Salour fait appel à une autre forme de vision. Elle voit le monde à mesure qu'elle le montre. Voir, pour elle, c'est donner à voir. Ainsi, un courant passe et d'un côté à l'autre du miroir, nous sommes nés au monde. Le jardin persan nous invite au recueillement, à l'exploration de nos profondeurs pérennes. L'appel à la mémoire se lie, chez Maryam Salour, à une communion mystique avec l'éternité invisible de l'âme persane.

چهار باغ | خانه‌ی عامری‌ها | کاشان | ۱۳۸۲

Tchahar Bagh , Le Rêve d'un Paradis Perdu | La Masion des Ameri | Kâshan
Chahar Bagh, The Dream of a Lost Paradise | House of Ameris | Kashan
| 2003

< آماده‌سازی نمایشگاه چهار باغ | موزه‌ی هنرهای معاصر اصفهان | ۱۳۸۲

Préparation de L'Exposition ¨Tchahar Bagh , Le Rêve d'un
Paradis Perdu ¨| Musée d'Art Contemporain | Ispahan
Preparation of Chahar Bagh, The Dream of a Lost Paradise Exhi-
bition | Museum of Contemporary Art | Isfahan | 2003

The Imaginary Garden: Visions of the Infinite

Ramin Jahanbegloo

Philosopher
Teheran 10 Avril 2003

The particularity of an artist is to create her own world. Beyond that, the value and the soundness of Maryam Salour's art is in that it constitutes a particular universe. Hers is an autonomous small world that only fleetingly resembles that which we usually know, but which has all its depth, diversion and obscurity. In this respect Maryam Salour's example remains rare in contemporary Iranian sculpture. For her, it is no longer sufficient to place herself only at the mere level of aesthetic sentiment, but to step entirely into a new world through which we can directly witness the mysteries of Personality.

This is above all the image of the Persian Garden. This expression of lost paradise haunts the mind of Maryam Salour. For her, the everlasting soul of Iran is incarnated in this mystical space where the invisible becomes substance and stone. Here the artist's work resembles that of the philosopher who, by brewing a multitude of facts, arrives at the concept, at the abstract pleasure of an immeasurable definition, the materialization of which is the subjective proof of happiness, and the objective figure of the perpetual beauty.

It is here where the art of Maryam Salour meets the heritage of Persia, as a privileged place for the advent of memory, to establish her own "home." Hence, the sentiment of metamorphosis that we feel in front of this resurrection of consciousness in the shape of the Persian Garden, and more directly before this dialogue between Maryam Salour's style and the fertile earth. A communication that is not random but the very life of an art that discovers immortality.

Considering it as a whole, the art of Maryam Salour appears to us like a poetic act, which begs us to ask about the inner beauty of its elements. It makes us feel life, opens our eyes, and makes us realize that sculpture is quite distinct from an artful imitation of an exterior reality. That is where the artist asserts herself deeply and naturally as a creator.

Set against a world where there exists nothing more than the power of decadence, the art of Maryam Salour appeals to a different form of vision. She sees the world as she shows it. To see, for her, is to invite us to see. So, a wave passes and, from one side of the mirror to the other, we are born into the world.

The Persian Garden invites us to contemplate, to recognize our perennial profundity. To Maryam Salour, the call to memory unites by a mystical communion with the invisible eternity of the Persian soul.

آدم، حوا، شیطان | رنگ روغن و سفال لعابی روی دیوار سیمانی | ۱۳۸۲
Adam, Eve et Diable | Huile et Céramique sur Le Mur en Béton
Adam, Eve, the Devil | Oil and Ceramic on Cement Wall
420 X1100 cm | 2004

Le jardin du rêve d'un paradis perdu
En écoutant le bruit des scies et le gémissement des arbres qui se mouraient
Je créais le jardin du rêve de mon Paradis Perdu.

The garden of my lost dream of paradise,
in the midst of saw-cries of trees dying,
and in the midst of the pain I was suffering,
the garden of my lost dream of paradise grew.

درخت | سفال لعابی | ۱۳۸۲
L'Arbre | Céramique | Tree | Ceramic | 300 x 50 cm | 2003

چهار باغ | فرهنگسرای نیاوران | تهران | ۱۳۸۲
Tchahar Bagh , Le Rêve d'un Paradis Perdu | Centre Culturel de Niavaran |Téhéran
Chahar Bagh, The Dream of a Lost Paradise | Niavaran Cultural Center | Tehran | 2003

چهارباغ، رؤیای بهشت گمشده | فرهنگسرای نیاوران | تهران | ۱۳۸۲
Tchahar Bagh , Le Rêve d'un Paradis Perdu | Centre Culturel de Niavaran | Téhéran
Chahar Bagh, The Dream of a Lost Paradise | Niavaran Cultural Center | Tehran | 2003

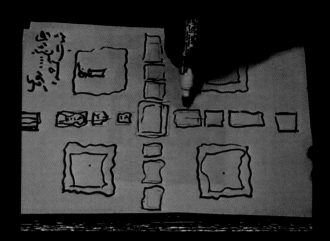
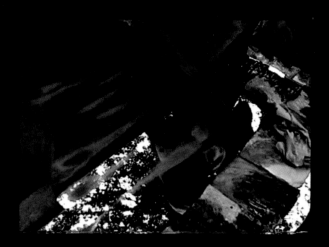

ساخت چهار باغ در آتلیه تجریش | ۱۳۸۲
Construction de quatre jardins (Tchahar Bagh)|Atelier Tajrish | 2003
Construction of Chahar Bagh |Tajrish Atelier | 2003

> نرگس | سفال لعابی | ۱۳۸۲
Nargesse | Céramique | Ceramic
62 x 12 x 10 cm | 2003

>نرگس خوشبو | سفال لعابی | ۱۳۸۲
Narcisse parfumé | Céramique
Fragrant Narcissus | Ceramic
62 x 12 x 10 cm | 2003

در میان صدای اره
فریاد درختانی که قطع می‌شدند
و در میان دردی که در من سبز می‌شد
چهارباغ... رؤیای بهشت گمشده را یافتم

حوا | سفال لعابی | ۱۳۸۲
Eve | Céramique | Ceramic | 53 x 12 x 7 cm | 2003

شیطان و حوا | سفال لعابی | ۱۳۸۲
Le Diable et Eve | Céramique | The Devil and Eve | Ceramic | 62 x 10 x 8 cm | 2003

باغ خیالی چشم‌اندازهایی از بیکران

رامین جهانبگلو

فیلسوف

فروردین ۱۳۸۲

ویژگی یک هنرمند در به وجود آوردن دنیای خود اوست. از این گذشته ارزش و استواری هنر مریم سالور در این است که در واقع دنیایی یگانه و استثنایی است، جهان کوچکی است مستقل که با دنیایی که ما معمولاً آن را می‌شناسیم تنها به گونه‌ای گذرا شباهت دارد در حالی‌که واجد درخشش، تنوع و ابهام نیز هست. با این ویژگی، نمونه‌ی مریم سالور در تندیس‌سازی معاصر ایرانی کمیاب است. او دیگر در پی آن نیست که خود را فقط در مقام یک زیبایی‌شناس حساس قرار دهد، بلکه کاملاً به جهانی نوین وارد می‌شود که در آن به یکباره با راز و رمزهای ایرانیت روبه‌رو می‌شویم. در واقع این تصویر ذهنی بوستان ایرانی، این تعبیر بهشت گم‌شده است که ذهن مریم سالور را به خود مشغول می‌دارد. برای او، روان ایران جاویدان در این فضای پر رمز و راز تجسم یافته، تجسمی که تارو پود آن از نادیدنی به‌وجود آمده است. در اینجا، کار هنرمند همانند عمل فیلسوفی است که به دنبال انبوهی از تمهیدات به ادراک می‌رسد؛ به تحقق درآوردن چیزی که نشان مسرت درونی و چهره‌ی بیرونی زیبایی جاویدان است. در اینجاست که هنر مریم سالور همانند جایگاه ممتاز تجلی خاطره‌ها با میراث ایرانی تلاقی می‌کند تا اقامتگاهی برای خود بنیان نهد و از همین است دگرگونی در حال تکوینی که ما در برابر این رستاخیز خاطره‌ها در قالب بوستان ایرانی، یا بهتر بگوییم، در برابر این گفت و شنود میان سبک مریم سالور و باروری بی‌پایان گیتی احساس می‌کنیم، گفت‌وشنودی که تصادفی نیست، بلکه زندگی خاص یک هنر است که به اکتشاف جاودانگی می‌پردازد.

هنر مریم سالور در مجموع به منزله‌ی یک حرکت شاعرانه در نظر ما جلوه می‌نماید که ما را وادار به پرسش‌هایی درباره‌ی زیبایی درونی عناصر می‌کند، ما را وادار می‌کند که زندگی را لمس کنیم، دیدگان ما را باز می‌کند و ما را وادار به درک این نکته می‌کند که تندیس‌تراشی چیزی است سوای تقلید خودسرانه از واقعیت‌های موجود هنرمند که با آن خود را به طور قطعی و طبیعی یک آفریننده معرفی می‌کند.

در برابر دنیایی که به جز یک نیروی انحطاط شدید چیزی در آن وجود ندارد، هنر مریم سالور ما را به گونه‌ی متفاوتی از دیدن فرا می‌خواند. او خود دنیا را در روند ظهورش به ما می‌بیناند. دیدن برای او دعوت به دیدن است. بدین گونه ارتباطی میان آثار و بیننده برقرار می‌شود و ما با رفتن از یک سوی آیینه به دیگر سوی آن دیده به جهان می‌گشاییم.

بوستان ایرانی ما را دعوت به تفکر می‌کند، به کاوش در ژرفای ابدی ما. برای مریم سالور، یادآوری خاطره‌ها، پیوندی عرفانی با جاودانگی نامرئی روح ایرانی است.

شیطان و حوا | سفال لعابی | ۱۳۸۲
Le Diable et Eve | Céramique
The Devil & Eve | Ceramic
62 x 10 x 8 cm | 2003

نمایشگاه چهار باغ | موزه‌ی هنرهای معاصر اصفهان | ۱۳۸۲
Tchahar Bagh| Musée d'Art Contemporain Ispahan
Chahar Bagh Exhibition | Museum of Contemporary Art, Isfahan | 2003

آماده‌سازی نمایشگاه چهار باغ | موزه‌ی هنرهای معاصر اصفهان | ۱۳۸۲ >>

Préparation de L'Exposition de Tchahar Bagh
Musée d'Art Contemporain Ispahan

Preparation of the Chahar Bagh Exhibition
Museum of Contemporary Art, Isfahan | 2003

Les Métamorphoses de la Terre

Daryush Shayegan

Philosophe

2000

Maryam Salour est une artiste polyvalente. Céramiste, sculpteur et peintre à la fois, elle incarne ces trois disciplines sans les confondre. Cependant, il n'y a pas de solution de continuité entre ces trois volets. Au contraire, de la céramique, où elle innove dans la technique en obtenant des mélanges inédits de couleur, à la sculpture où elle projette des formes délicates, faites de forces antagonistes et complémentaires, à la peinture où elle imite les rugosités de la nature minérale pour créer ce qu'elle appelle "le rêve à quatre angles", nous assistons aux multiples métamorphoses de la terre elle-même. Terre qui revêt tantôt la couleur turquoise de la céramique pour refléter les cieux bleus de la Perse, tantôt la forme éthérée de la femme-oiseau, tantôt la surface rugueuse des panneaux où le regard de l'artiste se condense dans un rêve pétrifié, afin de dévoiler l'essence de ces hautes chaînes de montagnes qui surplombent les oasis du plateau iranien.

C'est en France, à l'Académie de Savigny, qu'elle s'initie à l'art de la céramique. Mais, dès son apprentissage, elle révèle sa secrète nostalgie de la terre natale. Toutes les images primordiales de son enfance : les cimes blanches de hautes montagnes, le chuchotement des cascatelles se déversant dans des bassins limpides, les coupoles bleues rivalisant avec l'azur du ciel, imprègnent déjà sa vision intérieure de l'art. Et c'est dans ce contexte que Madame de Savigny lui dira un jour; "quoique vous fassiez, Maryam, vous êtes la fille du pays aux coupoles bleues". Dans ses sculptures, cette tendance à abstraire la quintessence s'épanouit dans l'espace. La forme qui prédomine c'est la complémentarité des forces contraires, la nature duelle de l'Ange-Satan, de l'Androgyne. On peut citer comme exemple l'œuvre intitulée Jour et Nuit, où deux figures élancées, effilées jusqu'à l'extase, se confondent comme un arbre à deux têtes, comme deux branches enchevêtrées qui surgissent d'un tronc commun, s'enracinant dans les entrailles abyssales de la terre. Ou encore cette femme qui, dans un élan généreux, hors d'elle-même, s'arrache à la pesanteur pour s'abimer dans la poussière des étoiles, comme si l'artiste voulait sublimer la matière par l'alchimie de son regard. Toutes les statuettes ont des visages triangulaires. On dirait que par opposition de ces trois angles, le triangle constituerait le dynamisme inquiet de la création elle-même. D'où la présence omniprésente du principe négateur, à savoir Satan, qui auréole en quelque sorte l'œuvre comme une force occulte. Car le diable n'est pas l'ange déchu, maudit, mais au contraire la force d'attraction de l'amour.

Il a été dégradé de son rang privilégié par excès d'amour : c'est sa démesure, l'exclusivité de son désir irrépressible, sa rébellion à se soumettre à tout impératif inconditionnel, qui ont causé sa perte et sa damnation. C'est lui la force motrice qui anime l'univers, qui réchauffe la froideur sidérale des constellations.

بدون عنوان | خمیرکاغذ، اکسیدهای فلزی، مرکب سیاه | ۱۳۷۹
Snas Titre | Papier Mâché Oxydes Métalliques, Encre noire
Untitled | Papier mache, metal oxides, black ink
200 x 100 cm | 2000

Satan et Ange ont chez Maryam Salour des rôles interchangeables. D'où, par exemple, la figure de cet Ange-Satan paré d'un éventail d'ailes dentelées qui pousse de son corps comme une excroissance inachevée, comme une ébauche apte à revêtir la nature duelle de futures incarnations.

La transition de la sculpture à la peinture se fait sans heurt, sans coupure, car même ses peintures sont des peintures-sculptures. Dressées parfois tels des dolmens mégalithiques, elles nous barrent l'accès tout en nous invitant à passer outre. On y retrouve le même élan vertigineux des hauteurs comme dans les sculptures. Désir des espaces raréfiés de l'altitude. De même que Maryam Salour innovait dans la céramique, ici aussi elle crée des cocktails nouveaux, des mélanges insolites faits de papier mâché, de bois broyé, de pigments de couleur. Mélanges qui donnent à la surface de ces toiles épaisses, des aspérités, des sinuosités, des rayures qui sillonnent ce monde minéral. On dirait qu'on y est confronté au rêve pétrifié des sédimentations géologiques, comme si en condensant sa vision elle remontait à l'origine des puissances chthoniennes, avant que l'éclatement multiforme de la vie n'ait modifié, enrichi la scène naturelle de l'évolution.

Et, pour finir, j'ajouterai qu'on peut lire dans l'œuvre de cette artiste originale toutes les couches géologiques de la mémoire de la terre, couches qui décrivent, étape par étape, le palimpseste de l'épopée du règne minéral et qui atteindra son apothéose sublimée dans la forme frêle de cette femme-oiseau, dressée devant nous comme "un Sphinx incompris", et qui nous dirait avec le poète (Baudelaire) : "Je suis belle ô mortels! comme un rêve de pierre".

'Metamorphosis of Earth'

Dariush Shayegan
Philosopher
2000

Maryam Salour is a polyvalent artist. At once a ceramist, a sculptor and a painter, she incarnates the three disciplines without confusing them. There is nevertheless a connection between the three. Whether she innovates in the technique of ceramics by obtaining a blend of unusual colors, or in sculpture she projects delicate forms arising out of contradictory forces, or in painting she imitates the ruggedness of the mineral nature to create what she personally describes as "the four cornered dream," we witness the multiple metamorphoses of the earth itself. The earth manifests itself at times as the turquoise blue of the skies of Persia; at other times it embraces the ethereal shape of the bird woman; or again becomes the rough surface of panels when the artist, in a dream-like fashion, turns her attention to stones in order to unveil the essence of those towering mountain ranges overhanging the oases of the Iranian plateau.

It was in France at the Savigny Academy that she was initiated to the art of ceramics. But from her early apprenticeship she reveals her hidden nostalgia for her country of birth. All the images of her primordial childhood: the snow-capped summits of the high mountains, the murmurs of the little cascades flowing into limpid basins, the blue domes which rival with the azure of the sky, already impregnate her inner vision of art. And that is why Mme de Savigny tells her one day: "Maryam, whatever you do, you shall remain the girl who belongs to the country of the blue domes."

In her sculptures, this tendency to arrive at perfection manifests itself. The predominant form becomes the complementarity of opposite forces, the dual nature of Angel-Satan, of the androgyne. As an example, in her sculpture entitled "Day and Night" two slender and ecstatic bodies entwine like two entangled branches shooting out of a common trunk whose roots bore deeply in the abyss of the earth. Or that woman who springs weightless, in a trance, to the heights where she can lose herself in the stardust, as if the artist wanted to sublimate matter through the alchemy of her vision.

All the statuettes have triangular faces, as though by opposing the three angles, the triangle would constitute the restless dynamism of creation itself. That is why the omnipresence of the negating principle, or Satan, who projects a halo, so to speak, around the work of art, is rather like an occult power. Because the devil is not the fallen angel, nor is he damned, but on the contrary, he is the attracting force of love, he has been degraded from his privileged position due to this excessive love; it is his immoderation, the exclusivity of his irrepressible desire, his rebellion to all unconditional commands, which have been the cause of his

دیوار سیاه | خمیر کاغذ، اکسیدهای فلزی، مرکب سیاه | ۱۳۸۳

Le Mur Noir | Papier Mâché Oxydes Métalliques, Encre Noire
The Black Wall | Papier mache, metal oxides, black ink
150 x 220 cm | 2004

damnation. He is the force which animates the universe, which gives warmth to the cold stars of the constellations. In Maryam Salour's opinion, Satan and Angel have interchangeable roles. Like, for example, in the figure of that Angel-Satan adorned with fanshaped wings springing out of its body like some incomplete growth, like some draft apt to assume the dual nature of future incarnations.

The transition from sculpture to painting takes palace without shock or break, because even her paintings are painting-sculptures. They occasionally assume the appearance of a large and ancient rock, which bars the road, yet invites the viewer to go beyond. We find that same desire for dizzy heights as in the sculptures. A desire for rarefied space in the heights. Just as Maryam Salour innovated in the art of ceramics, here too she creates new cocktails, unusual mixture made up of papier mâché, crushed wood, colorful pigments. Mixtures which give the surface of her thick canvasses roughness, windings, and stripes which plough this mineral world. It is like being confronted with a dream turned into stone of geological sedimentations, as though by concentrating her vision, she goes up to the origin of chthonian forces prior to the multiform explosion of life which modified and enriched the natural scene of evolution.

To end, I might add that in the work of this original artist, one can study all the geological layers of the earth›s memory, layers describing, stage by stage, the palimpsest of the historical legend of the reign of minerals and reaching its apotheosis in that frail figure of the bird women before us like a "misunderstood sphinx," and who tells us with the poet (Beudelaire): "I am beautiful, ye mortals, like a dream of stone."

^ ایران | خمیر کاغذ، اکسید های فلزی، مرکب سیاه | ۱۳۷۹
L'Iran | Papier Mâché Oxydes Métalliques, Encre Noire
Iran | Papier mache, metal oxides, black ink
200 x 200 cm | 2000

> بهار | خمیر کاغذ، اکسید های فلزی، مرکب سیاه | ۱۳۷۹
Le Printemps | Papier Mâché Oxydes Métalliques, Encre Noire
Spring | papier mache, metal oxides, black ink
110 x 110 cm | 2000

> مریم سالور و دخترش نرگس عقدایی | ۱۳۷۹
Maryam Salour et sa fille Narges Aghdaee
Maryam Salour and her daughter Narges Aghdaee | 2000

La vision de la terre telle qu'elle est,
avec ses lignes et ses couleurs,
ses douceurs et ses acuités.
Des formes et un espace qui nous contient
avec tant de transparence.

Seeing the earth
seeing the earth the way it is
With its lines and colors
Its smooth and rough surfaces
shapes, forms
and the space so luminously holding us

افرا در نیم روز | خمیر کاغذ | ۱۳۸۰
L'Erable à Midi | Papier-Mâché | Maple in Midday | Papier mache | 200 x 100 cm | 2001

دگردیسی خاک

داریوش شایگان

فیلسوف

۱۳۷۹

مریم سالور هنرمندی چندتوان است. او که هم سفالگر است و هم مجسمه‌ساز و هم نقاش، بی‌آنکه این سه را با هم درآمیزد، به آنها کالبد می‌بخشد. اما پیوند این سه رشته ناگسسته نیست. برعکس او با نوآوری در تکنیک سفالگری به رنگ‌های بدیعی دست می‌یابد. در مجسمه‌سازی فرم‌های لطیفی را که حاصل نیروهای متضاد و مکمل هستند به نمایش می‌گذارد و در نقاشی از زمختی‌های طبیعت بی‌جان برای آفریدن آنچه خود رؤیای چهارگوش می‌نامد تقلید می‌کند تا ما شاهد دگردیسی چندگانه‌ی خاک باشیم. خاکی که گاه‌به‌گاه به رنگ فیروزه‌ای کاشی در می‌آید تا جلوه‌ای از پهنه‌های آبی آسمان ایران باشد، گاه قالب زن پرنده‌ی اثیری به خود می‌گیرد، گاه سطح زبر تخته‌هایی را پیدا می‌کند که نگاه هنرمند چون رؤیایی حک شده بر آنها تمرکز می‌یابد تا از سرشت کوه‌های بلندی که بر آبادی‌های کوچک فلات ایران اشراف دارد پرده بر می‌گیرد. او با هنر سفالگری در فرانسه و در آکادمی ساوینی آشنا می‌شود و از بدو کارآموزی اندوه نهفته‌ی دوری از دیار را آشکار می‌کند. تمامی تصاویر بدوی کودکی‌اش، قله‌های سپید کوه‌های بلند، نجوای شرشره‌هایی که به حوضچه‌های زلال سرازیر می‌شوند، گنبدهای آبی رنگی که با لاجورد آسمان به رقابت برمی‌خیزند جملگی بینش باطنی او را از هنر بارور کرده اند. به همین خاطر است که مادام دو ساوینی روزی به او می‌گوید: مریم، شما هر کاری که بکنید، باز همان دختر سرزمین گنبدهای کبود هستید.

در مجسمه‌ها، این گرایش به رسیدن نمونه‌ی کامل به نحوی فراگیر متجلی می‌گردد. فرم غالب، یکی شدن نیروهای متضاد، ماهیت دوگانه‌ی فرشته ـ شیطان و یا ذوالجنسین است. به عنوان مثال می‌توان به مجسمه‌ی شب و روز اشاره داشت که دو اندام بلند و کشیده و از خود بی‌خود همانند درختی دو سر در هم می‌آمیزند، چون دو شاخه‌ی در هم پیچیده و بر رسته از تنه‌ای مشترک سر بر می‌آورند و شوق و شیدایی خود را از نیروی ثقل زمین رها می‌کند تا در خاکستر ستاره‌ها غوطه‌ور گردد، گویی هنرمند خواسته باشد با کیمیای نگاهش ماده را اعتلا بخشد.

همه‌ی تندیسک‌ها صورتی مثلثی شکل دارند، چنانکه گویی با تقابل این سه زاویه، مثلث خود عامل پویایی بی‌قرار نفس خلاقیت باشد. از همین است که حضور فراگیر عنصر متمرد، یا شیطان که به نوعی چون نیرویی جادویی هاله‌ای برگرد اثر می‌آفریند. زیرا شیطان، فرشته‌ی هبوط کرده و لعن شده نیست، بلکه قوه‌ی جاذبه‌ی عشق است. او از فرط عشق از جایگاه ممتاز خود به زیر افتاده است، این افراط او، فردیت تمنای سرکش او، عصیان او در برابر تسلیم به هر حکم بی قید و شرط است که موجب شکست و لعن او شده است. اوست قوه‌ی محرکه‌ای که جهان را به تحرک وا می‌دارد و ستارگان سرد کهکشان را گرمی می‌بخشد. در نظر مریم سالور نقش شیطان و فرشته قابل جابجایی است. مثلاً هیات آن فرشته ـ شیطان که بال‌های دندانه‌دار و نامکمل چون زایده‌ای از بدنش روییده است، همانند طرحی مناسب برای ملبس کردن ماهیت دوگانه حلول‌های آنی است.

گذر از مجسمه‌سازی به نقاشی بدون تناقض و شکاف انجام می‌گیرد، زیرا حتی نقاشی‌ها، نقاشی-مجسمه‌ای هستند که گاه چون تک سنگ‌های بزرگ عهد عتیق راه را بر ما می‌بندد و در عین حال دعوتمان می‌کنند تا به فراسو برویم. در نقاشی‌ها هم چون مجسمه‌ها با همان جهش سرگیجه‌آور به فرازها، همان نیاز به فضای رقیق شده در ارتفاعات مواجه هستیم. مریم سالور همان‌گونه که در سفال نوآوری می‌کند، در نقاشی هم از ترکیب پایه ماشه (خمیر کاغذ) و خاک‌اره و رنگدانه‌ها آمیزه‌های بدیع و غیرمعمول خلق می‌کند. آمیزه‌هایی که سطح ضخیم بوم‌ها را زبر و زمخت و پرپیچ و خم می‌سازد و روی این جهان خاکی شیار می‌اندازد. گویی با رؤیای حک شده‌ی رسوبات زمین‌شناختی روبه‌رو شده باشیم، یا آنکه هنرمند با تمرکز خیال به سرچشمه‌ی نیروهای زیرزمینی پیش از انفجار کثیرالشکل حیات بازگشته باشد که عرصه‌ی طبیعی تکامل را متغیر و غنی ساخت.

در پایان اضافه می‌کنم که در آثار این هنرمند مبتکر می‌توان لایه‌های گوناگون زمین‌شناسی را در حافظه‌ی زمین مطالعه کرد، لایه‌هایی که افسانه‌ی حکومت خاکی را طبقه به طبقه بر کتیبه‌ای باز گو می‌کند و اعتلای آن را در قالب شکننده آن زن ـ پرنده شاهد می‌شویم که در مقابلمان چون پیکره‌ای پر رمز و راز و ناشناخته ایستاده و هم نوا با شاعر(بودلر) می‌گوید: « ای میرندگان، من زیبا هستم. مانند یک رؤیای سنگی».

میترا | سنگ مرمر | ۱۳۷۸

Mithra | Marbre | Marble | 70 x 35 x 10 cm | 1999

آدم و حوا | سفال، اکسید منگنز سیاه، اکسید تیتان، اکسید روی | ۱۳۸۳

Adam et Eve | Terre Cuite, Oxyde de Manganèse Noir, Oxyde de Titane et Oxyde de Zinc |
Adam and Eve| Earthenware, black manganese oxide, titanium oxide and zinc oxide |
70 x 10 x 8 cm | 2004

فرشته | سفال لعابی | ۱۳۸۳

L'Ange | Céramique | Angel | Ceramic | 58 x 15 x 5 cm | 2004

دگردیسی خاک | گالری هنر دانشگاه ایالتی ایلینویز | آمریکا | ۱۳۸۰

Le Métamorphose de la Terre | University Galleries Illinois State University | Les Etats Unis | 2001
Metamorphosis of the Earth | University Galleries of Illinois State University | United States of America
Metamorphosis of Earth | 2001

L'Ange | Céramique | Angel | Ceramic | 58 x 15 x 5 cm | 2004 | ۱۳۸۳ | سفال لعابی | فرشته

آدم و حوا | سفال، اکسید منگنز سیاه، اکسید تیتان، اکسید روی | ۱۳۸۳
Adam et Eve | Terre Cuite, Oxyde de Manganèse Noir, Oxyde de Titane et Oxyde de Zinc
Adam and Eve | Earthenware, black manganese Oxide, titanium oxide and zinc oxide | 70 x 10 x 8 cm | 2004

Le vol des Anges

Ramin Jahanbegloo
Philosophe
1994

"L'ordre, c'est du dedans qu'il rayonne et non du dehors". Cette réflexion de Georges Rouault prend toute sa force dans notre rencontre avec les sculptures de Maryam Salour. A la différence de nombreux artistes contemporains satisfaist par une réussite simple et rapide, l'œuvre de Maryam Salour, comme le résultat d'un effort plus secret et plus libre en esprit, apparait à nos yeux à la fois par le travail de la matière, par la conception de la composition et par l'harmonie invisible des accords, comme celle d'une artiste qui a le souci de la solitude et du recueillement pour travailler en paix avec elle-même, tout en évitant la surproduction et les trop nombreuses tentations de dispersion.
Ll ya dans les sculptures de Maryam Salour une balance rythmique entre le poids insoutenable de la matière et l'imagination créatrice de l'artiste. Une sorte de respiration invisible qui passe comme un souffle magique dans les ailes de ces "oiseaux- anges" qui semblent être là pour l'éternité. Des anges qui, par le mouvement fragile de leurs ailes, laissent agir le mystère de l'existence comme un

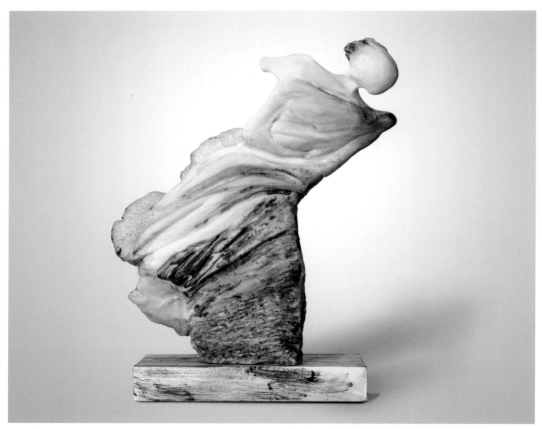

فرشته | سفال لعابی | ۱۳۸۳
L'Ange | Céramique
Angel | Ceramic
39 x 12 x 9 cm | 2004

besoin général de l'autre chose et de l'autre part. Tout reste alors à voir par les nuances infinies de la sensibilité dans le domaine de la forme et de la matière. L'art du sculpteur est ici de provoquer l'œil du spectateur pour qu'il puisse saisir cette dualité entre le ciel et la terre, qui est accentuée par une soif de liberté que nous rappelle à chaque instant le flottement aérien des anges.

Dans l'œuvre poético-mystique de Maryam Salour, tout est fonction de légèreté et d'un mouvement créateur longuement médité, qui finit par se réaliser par un désir de sentir l'infini en honorant la beauté. Certes, on peut y voir une beauté honorée, mais aussi une beauté transfigurée et nouvelle. Au vrai sens du mot, c'est une beauté orientée vers l'avenir qui prend ses racines dans l'origine mythique de la Terre-Mère. De là, il y a la présence dans les sculptures de Maryam Salour de l'image de la fécondité qui est l'élément même du mouvement créatif. Cette présence est ce que j'appellerai "le chemin des Anges". C'est le chemin qui fait frémir le spectateur, comme s'il avait été mu par un poids invisible. C'est un torrent immobilisé par les mains de l'artiste qui réveille en chacun de nous ce besoin de la verticalité de la liberté et de la sérénité. Ainsi, Maryam Salour détruit l'immanence de l'humain par la transcendance ou la transdescendance de ses formes. C'est notre regard sur le monde qu'elle tente de changer par cette magnifique envolée des anges. Sans dépouillement ni redondance, son art et son style originels dévoilent les figures invisibles du passé et de l'avenir.

L'art de Maryam Salour n'est pas une affirmation copieuse de l'immédiat et une simple irruption de l'imagination dans le domaine de l'actualité. Ce n'est pas un simple regard sur notre présent, mais une fête donnée à cette image de l'origine qui repose enfouie dans notre mémoire historiale indéfinie, par le moyen de laquelle Maryam Salour donne naissance à ces Anges éternels.

De là vient cette atmosphère toute spéciale qui s'exhale des sculptures de Maryam Salour : celle d'une vibration spirituelle, quelque chose de transcendantal, une espèce de présence métaphysique qui trouve son rythme embryonnaire dans "le vol de nuit" de ces anges-oiseaux. De ce voyage angélique le spectateur revient comblé par la beauté du spectacle et chargé d'un grand sentiment de bonheur mystique. C'est alors que le silence se fait solennel. Il arrive quelque chose ...... Un ange passe.

Airborne Angels

Ramin Jahanbegloo
Philosopher
1994

"Order shines from within and not from without." This saying by Georges Rouault finds its fullest manifestation in the latest sculptures of Maryam Salour.

Different from those of many contemporary artists who seem to be after easy and quick success, works of Maryam Salour tell us of a more liberating and more mysterious effort to seek out the spirit in matter, the concept in the composition, and the invisible harmony in connectivity. These are the works of an artist preoccupied with a meditative solitude for the sole purpose of reaching peace within her.

In these sculptures there is a rhythmic balance between the unbearable weight of matter and the creative imagination of the artist. Like a breeze under the wings of her "bird-angels," an invisible ebb and flow appears to have been there for all eternity. By the fragile movement of their arms, these angels let the mystery of existence unfold. In them, there is a need for something or somewhere else. What remains is to see the infinite shades of sensibility in the domain of form and matter. The art of sculpture here is to bring the eyes of the viewer to rest within the earth-heaven duality, accentuated by a thirst for freedom summoned with every airborne angel.

In the poetic works of Maryam Salour everything seems to be a function of the ethereal movement of creation, which is itself borne by long periods of contemplation and culminates in realizing itself in the infinite sense of beauty honored. Honored beauty, but also transfigured beauty, novel beauty. In the full sense of the word: Beauty directed towards the future whose roots are in the mystic origins of the earth-mother. In the sculptures of Maryam Salour, presence itself is the image of fecundity and at the same time the element of creative movement.

What I call the "trail of angels" is that which brings shivers to the viewer, shaken by an invisible force, a torrent redirected in the hands of the artist, who awakens in each of us the need for upright freedom and composure. In this way, Maryam Salour destroys human immanence by formal transcendence or transdescendance. It is our view of the world that she intends to change by these magnificent flying angels. Without analysis or redundancy, her art and her original style reveals invisible figures of the past and the future.

The art of Maryam Salour is not a prolific affirmation of the immediate or a simple eruption of the imagination in the domain of actuality. It is not an easy view of our present; it is a feast given to an image of origin resting buried in our indefinite historical memory, a little in the manner that Maryam Salour gives birth to her eternal angels.

From there comes the special atmosphere that these sculptures exude: A spir
itual vibration, something of the transcendental, a type of metaphysical presence
that finds its embryonic rhythm in the "nocturnal flight" of these angel-birds.

Of this angelic voyage, the viewer returns crushed by the beauty of the spectacle
and energized by a sense of spiritual well-being.

It is thus that the silence turns itself solemn. Something happens... an angel
passes.

فرشته | سفال لعابی | ۱۳۸۳
L'Ange | Céramique
Angel | Ceramic
48 x 15 x 5 cm | 2004

> فرشته | سفال، اکسید منگنز سیاه، اکسید تیتان، اکسید روی | ۱۳۸۳
L'Ange | Terre Cuite, Oxyde de Manganèse Noir, Oxyde
de Titane et Oxyde de Zinc
Angel | Earthenware, black manganese oxide, titanium
oxide and zinc oxide | 58 x 15 x 5 cm | 2004

> فرشته | سفال، اکسید منگنز سیاه، اکسید تیتان، اکسید روی | ۱۳۸۳
L'Ange | Terre Cuite, Oxyde de Manganèse Noir, Oxyde
de Titane et Oxyde de Zinc
Angel | Earthenware, black manganese oxide, titanium
oxide and zinc oxide | 58 x 15 x 5 cm | 2004

> فرشته | سفال لعابی | ۱۳۸۳
L'Ange | Céramique
Angel | Ceramic
60 x 24 x 5.5 cm | 2004

رؤیت زمین آن‌طور که هست،
با خطوط و رنگ‌هایش
نرمی‌ها و نوازش‌هایش
شکل‌ها، فرم‌هایش
و فضایی‌که این چنین شفاف ما را در برگرفته است.

زن و پرنده | سفال رنگی، اکسید منگنز سیاه، اکسید تیتان، اکسید روی | ۱۳۸۰

La Femme et l'Oiseau | Terre Cuite, Oxyde de Manganèse Noir, Oxyde de Titan et Oxyde de Zinc
Woman & Bird | Earthenware, black manganese oxide, titanium oxide and zinc oxide |
85 x 12 x 15 cm | 2001

فرشته | سفال، اکسید منگنز سیاه، اکسید تیتان، اکسید روی | مجموعه‌ی روز و شب | ۱۳۸۰

L'Ange | Terre Cuite, Oxyde de Manganèse Noir, Oxyde de Titane et Oxyde de Zinc | Angel | Earthenware, black manganese oxide, titanium oxide and zincoxide |
89 x 12 x 12 cm | 2001

عاشقانه | سفال، اکسید منگنز سیاه ، اکسید تیتان، اکسید روی | ۱۳۸۰

Amoureusement | Terre Cuite, Oxyde de Manganèse Noir, Oxyde de Titane et Oxyde de Zinc | Amorously | Earthenware, black manganese oxide, titan um oxide and

zincoxide | 89 x 12 x 12 cm | 2001

رؤیت زمین | خمیر کاغذ، اکسیدهای فلزی، مرکب سیاه | ۱۳۷۹

Observer la Terre | Papier Mâché, Oxydes Métalliques, EncreNoire
Observing the Earth | Paper mache, metal oxides, black ink |
42 x 47 cm | 2000

رؤیت زمین | خمیر کاغذ، اکسیدهای فلزی، مرکب سیاه | ۱۳۷۹

Observer la Terre | Papier Mâché, Oxydes Métalliques, EncreNoire
Observing the Earth |Paper mache, metal oxides, black ink |
42 x 47 cm | 2000

« رؤیت زمین | فرهنگسرای نیاوران | ۱۳۸۰

Observer La Terre | Centre Culturel de Niavaran
Observing the Earth | Niavaran Cultural Center | 2001

پری | خمیر کاغذ، اکسیدهای فلزی، مرکب سیاه | ۱۳۷۹

Fairy | Papier Mâché, Oxydes Métalliques, Encre Noire
Fairy | Metal Oxides,Black Ink | 40 x 47 cm | 2000

رؤیت زمین | فرهنگسرای نیاوران | ۱۳۸۰

Observer La Terre | Centre Culturel de Niavaran | 2001
Observing the Earth | Niavaran Cultural Center | 2001

پرواز فرشتگان

رامین جهانبگلو
فیلسوف
۱۳۷۳

"نظم از درون متجلی می‌شود، و نه از بیرون". این برداشتی است از ژرژ روئو (Georges Rouault) که در نگاه به مجسمه‌های مریم سالور به‌تمامی خودنمایی می‌کند.

در مقایسه با بسیاری از هنرمندان معاصر که در آرزوی راز تلاشی مخفیانه‌تر و آزادانه‌تر به موفقیتی سهل و سریع بسنده می‌کنند، اثر مریم سالور در نگاه ما، چه از جهت مضمون کار، چه از جهت خلق کمپوزیسیون و چه از نقطه نظر هماهنگی نامحسوس در آرایش کار، به کار هنرمندی می‌ماند که دغدغه‌ی تنهایی برای اندیشیدن و کار در خلوت خود را در سر دارد و در عین حال از بازتولید و تمایل به پخش بیش از اندازه‌ی اثر خود گریزان است.

در مجسمه‌های مریم سالور توازنی متناسب میان بار تاب‌ناپذیر مضمون و تخیل نوآورانه‌ی هنرمند به چشم می‌خورد. نوعی تنفس نامحسوس چون نفسی جادویی از میان بال‌های پرنده ـ فرشتگان کارهای او می‌گذرد، که گویی تا ابدیت اینجا حضور دارند. فرشتگانی که حرکت ظریف بال‌هایشان به راز هستی جامه‌ی عمل می‌پوشانند، همچون نیاز به مسئله‌ای دیگر و سویی دیگر.

آنچه لازم است مشاهده از ورای نوآنس‌های بی‌پایان حساسیت است در حوزه‌ی فرم و مضمون. هنر مجسمه‌ساز اینجا تحریک چشم بیننده است تا بتواند دوگانگی میان آسمان و زمین را دریابد، زادی آن را نوعی دوگانگی که عطش آزادی آن را دوچندان کرده و لحظه به لحظه یادآور رقص فرشتگان در آسمان است.

در هنر شاعرانه ـ عارفانه‌ی مریم سالور، همه‌چیز تابع سبکبالی است و حرکتی خلاقانه و از پیش‌اندیشیده که، در نهایت، اشتیاق به احساس ابدیت در عین تکریم زیبایی آن را محقق می‌کند. زیبایی تکریم‌شده، و درعین‌حال، زیبایی دیگرگون شده، زیبایی نو. به معنی واقعی کلمه: نوعی زیبایی که در عین گرایش به آینده، ریشه در اصالت اسطوره ای مادر ـ زمین دارد. همینجاست که حضور همه‌گیری از تصویر باروری در مجسمه‌های مریم سالور دیده می‌شود، که خود عنصر اصلی حرکت خلاقانه است.

این همان چیزی است که من راه فرشتگان می‌نامم. راهی که بیننده را به لرزش وا می‌دارد، گویی نیرویی نامریی او را تکان داده است. سیلی که دست‌های هنرمند آن را مجسم کرده و در تک تک ما نیاز به راستی، آزادی و آرامش را بیدار می‌کند. اینچنین است که مریم سالور حضور بی‌وقفه‌ی انسان را با برتری دادن به این اشکال یا فرو افتادن آنها از بین می‌برد. هدف او از این پرواز با شکوه فرشتگان، تغییر نگرش ما به جهان است. بدون هیچگونه تدوین و تکرار، هنر و سبک اصیل او از اشکال نامریی گذشته و از آینده پرده بر می‌دارد.

هنر مریم سالور شرح کپی‌وارانه‌ای از لحظه نیست یا فوران ساده‌ای از خلاقیت در حیطه‌ی واقعیت. نگاهی ساده به زمان حال نیست، بلکه بزرگداشت و تجلیلی از این تصویر بکر و اصیل است که در حافظه‌ی تاریخی بی‌مرز ما مدفون شده. چنین است که مریم سالور به فرشته‌های جاودانه‌اش زندگی می‌بخشد.

بدین شکل فضای منحصربه‌فرد مجسمه‌های مریم سالور شکل می‌گیرد: فضای جنبشی معنوی، شکل متعالی و حضوری ماوراءالطبیعه که ریتم رویانی و جنینی خود را در «پرواز شب» این فرشته ـ پرندگان می‌یابد.

در بازگشت از این سفر مقدس و فرشته‌گونه، بیننده غوطه‌ور است در زیبایی این نمایش و مملو است از حس خوشبختی معنوی و صوفی‌وارانه.

چنین است که سکوت مقدس می‌شود. اتفاقی رخ می‌دهد.... فرشته‌ای می‌گذرد.

< خانه‌ی تجریش | تهران | ۱۳۸۰
La Maison de Tajrish | Téhéran
Tajrish House | Tehran | 2001

چیــدمان

رؤیت زمین

چهارباغ... رؤیای بهشت گمشده

سرگشتگی

Sculptures
Sculptures

Amoureusement
Amorously

Jour et Nuit
Day and Night

Symphonie du Vol
Symphony of Flying

Diable et Ange

Friederike Voigt
Conservatrice
2003

« Le Diable et l'Ange » est le titre que Maryam Salour a donné à sa sculpture. Derrière l'ange se tient le Diable dangereusement proche. Le premier est recouvert d'un émail d'une éclatante blancheur quand le second est écarlate. Les deux font écho au concept ancestral d'une polarité des forces vitales et naturelles. Mais la sculpture exprime les doutes de l'artiste sur la division du monde en noir et blanc. Issus d'une même argile, les deux personnages ne peuvent gommer leur origine commune. C'est aussi ce que soulignent la pointe de rouge qui nuance la blancheur de l'Ange et l'étincelle blanche qui enveloppe le corps écarlate du Diable.

La sculpture « Diable et Ange » est une pièce remarquable de l'art iranien contemporain. Par cette céramique, qui allie beauté formelle et virtuosité technique, l'artiste exprime son affinité pour la terre natale, sa culture et sa nature. L'histoire de la production céramique en Iran est ancienne. Le processus combine les quatre éléments primaires : terre, feu, air, et eau. Salour est fascinée par l'érosion de la roche métamorphosée en argile qu'elle manipule et cuit pour fournir son interprétation personnelle de la nature.

L'art iranien contemporain se fonde sur des motifs populaires qui relient tradition et modernité. Pour sa sculpture, Maryam Salour s'est inspirée de la dualité du bien et du mal, qu'elle a transformée en objet en trois dimensions. Une des caractéristiques de l'art contemporain en Iran est la création de significations et sens nouveaux par la transformation de l'inexistant en forme structurée. Maryam Salour croit que le monde n'est pas simplement noir et blanc. Ainsi les deux personnages dépendent-ils l'un de l'autre, chacun incorporant un élément de l'autre. Ce faisant, elle nous fait douter de nos jugements moraux sur le vrai et le faux. « Diable et Ange » de Maryam Salour est la beauté enfermée dans l'argile et l'émail, et une oeuvre d'art d'une signification universelle.

مهتاب | سفال لعابى | ۱۳۸۹
Clair de Lune | Céramique
Moonlight | Ceramic
23 x 42 x 10 cm | 2010

Devil and Angel

Friederike Voigt

Curator
2003

Maryam Salour named her sculpture 'The Devil & Angel.' The angel stands with the devil perilously close behind. The angel is glazed purely white and the devil, brightly red. They draw on the age-old concept of two opposing forces in life and nature – good and evil. But the sculpture embodies the artist's disbelief that the world is so simply black and white. The two figures cannot deny their common origin, because they grow out of a single lump of clay. There is also a little red in the white of the angel and some white glaze runs into the devil's red - coloured body.

Salour's sculpture 'Demon and Angel' is a remarkable piece of contemporary Iranian art. It combines formal beauty and technical virtuosity. Through this ceramic work, the artist expresses affinity for her homeland, its culture and nature. Iran has a long history of ceramic production, a process that incorporates the fundamental elements of earth, fire, air and water. Salour is fascinated by the weathering of rock, forming clay over time which she can then manipulate and fire to produce a personal interpretation of nature.

Contemporary Iranian art is very much grounded in popular motifs that link tradition and modernity. For her sculpture, Salour drew on the dualistic concept of good and evil, and transformed it into a three-dimensional object. A characteristic feature of contemporary art in Iran is the creation of new meaning, new understanding, through the transformation of the non-existing into a structured form. Salour believes that the world is not simply black and white; The two figures are mutually dependent, each of them incorporates an element of the other. In this way, she questions our moral judgment with regard to right and wrong. Maryam Salour's sculpture 'Demon and Angel' is beauty encased in clay and glaze and an artwork of universal significance.

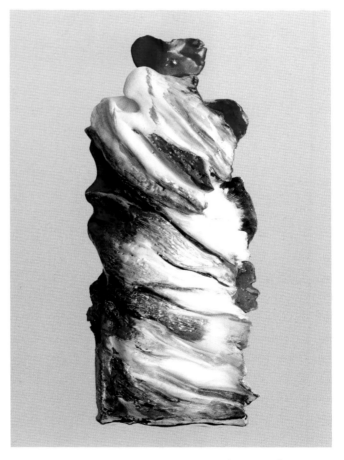

شیطان و حوا | سفال لعابی | ۱۳۸۳

Le Diable et Eve | Céramique
The Devil and Eve | Ceramic
59 x 24 x 10 cm | 2004

> خرد وپرنده‌اش | سفال لعابی | ۱۳۹۰
La Sagesse et Son Oiseau | Céramique
Wisdom and Her Bird | Ceramic
70 x 20 x 8 cm | 2011

فرشته‌ی آبی | سفال لعابی | ۱۳۹۵
L'Ange Bleu | Céramique
Blue Angel | Ceramic
67 x 20 x 11 cm | 2016

فرشته | سفال لعابی | ۱۳۹۵

L'Ange | Céramique
Angel | Ceramic
70 x 17 x 8 cm | 2016

< شیطان و فرشته | سفال لعابی | ۱۳۹۰

Le Diable et l'Ange | Céramique
The Devil & Angel | Ceramic
74 x 20 x 6.5 cm | 2011

L'Ange | Céramique | Angel | Ceramic | 73 x 25 x 9 cm | 2015 | ۱۳۹۴ | سفال لعابی | فرشته

آدم و حوا | سفال لعابی | ۱۳۹۴

< Adam et Eve | Céramique | Adam and Eve | Ceramic | 73 x 23 x 12 cm | 2015

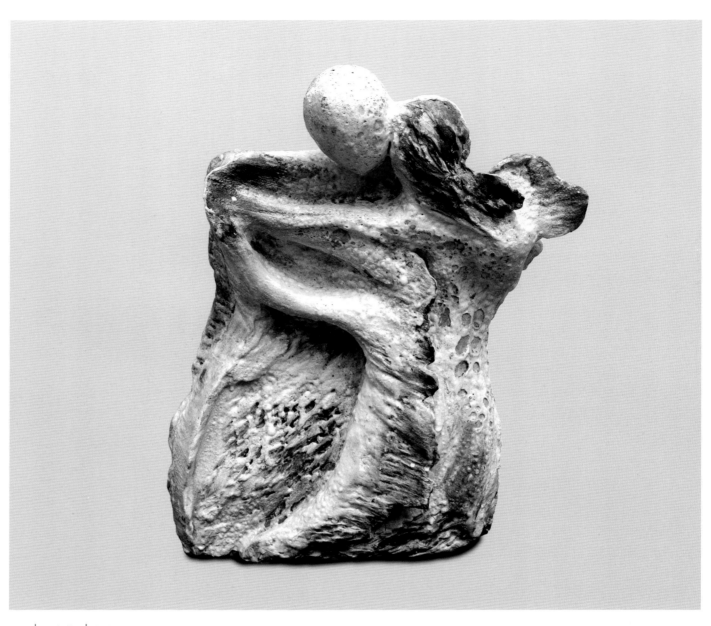

عاشقانه | سفال لعابی | ۱۳۸۸
Amoureusement | Céramique | Amorously | Ceramic | 44 x 35 x 15 cm | 2009

عاشقانه | سفال لعابی | ۱۳۸۸
Amoureusement | Céramique | Amorously | Ceramic | 18 x 22 x 10 cm | 2009

مهتاب | سفال لعابی | ۱۳۸۶
Clair de Lune | Céramique | Moonlight | Ceramic | 18 x 50 x 17 cm | 2007 >

شیطان و فرشته

فردریک فوگت
موزه‌دار
۱۳۸۲

مریم سالور این مجسمه‌ی سرامیکی را «شیطان و فرشته» نامیده. شیطان به صورت ترسناکی پشت فرشته ایستاده. لعاب فرشته سفید خالص است و آنِ شیطان قرمز تُند. این دو فیگور نماینده‌ی دو نیروی خیر و شَر در طبیعت‌اند و این مجسمه نمایانگر ناباوری سالور به جدایی کامل خیر از شر است. فرشته و شیطان نمی‌توانند خاستگاه مشترکشان را کتمان کنند، چرا که هر دو از یک توده‌ی گِل برآمده‌اند. همچنین، کمی قرمز در سفید رخنه کرده و لعاب سفید در قرمز دویده است.

«شیطان و فرشته»ی سالور نمونه‌ی برجسته‌ای از هنر معاصر ایران است. تردستی فنی را با زیبایی‌شناسی در هم می‌آمیزد. از راه این مجسمه، هنرمند اُنس خود را با زادگاهش ـ با هنر و طبیعت آن ـ عیان می‌کند. ایران پیشینه‌ای غنی در سفالگری دارد، فرایندی که عناصر چهارگانه‌ی بنیادینِ خاک، آتش، باد و آب را به هم می‌آورد. سالور شیفته‌ی فرسایش خاک و به گِل نشستنش در طول زمان است. او خاک را تیار می‌کند و به دست آتش می‌سپارد تا برداشت خود را از طبیعت به دست دهد.

هنر معاصر ایران ریشه در نقش‌های جاافتاده دارد و از این راه زمانِ کهن را به زمانِ نو پیوند می‌زند. برای مجسمه‌هایش، مریم سالور از دوئیت خیر و شَر استفاده می‌کند، به آن حجم می‌دهد، و به بُعد سوم می‌کشد. از خصوصیات هنر معاصر ایران خلق معانی جدید و دریافت‌های نو است، از راه استحاله‌ی آنچه نیست به ساختاری شکل گرفته. برای سالور جهان سیاه و سفید نیست؛ میان این دو فیگور رابطه‌ای بنیادین وجود دارد و هر یک عنصری از دیگری را در نطفه دارد. از این راه، هنرمند باور اخلاقی ما را به درست و نادرست مورد تردید قرار می‌دهد. مجسمه‌ی «شیطان و فرشته»ی مریم سالور زیبایی را سفالینه می‌کند و دست‌آفریده‌ای با اهمیت جهانی به ما ارزانی می‌دارد.

شیطان و فرشته | سفال لعابی | ۱۳۹۰
Le Diable et l'Ange | Céramique
The Devil & Angel | Ceramic
70 x 23 x 14.5 cm | 2011

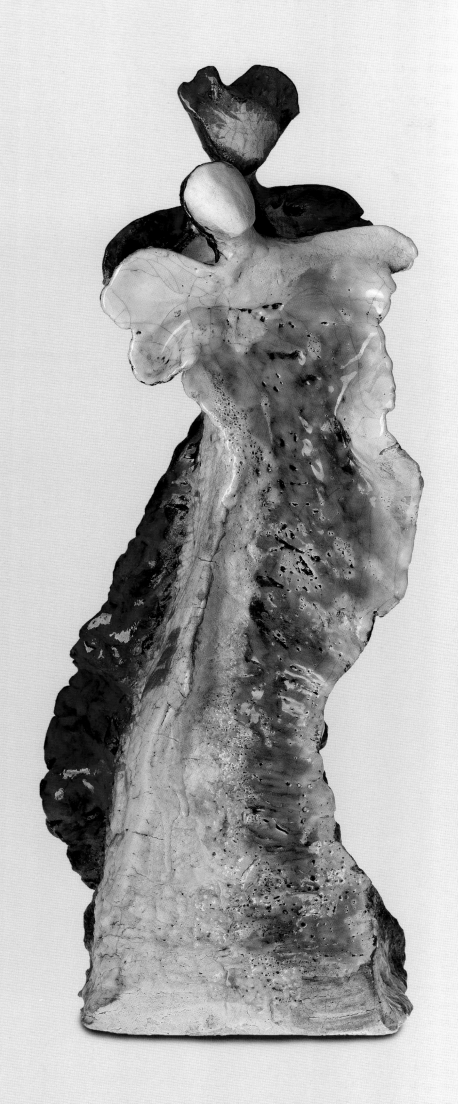

عاشقانه | سفال لعابی | ۱۳۸۶

Amoureusement | Céramique | Amorously | Ceramic
47 x 20 x 10 cm | 2007

عاشقانه | سفال لعابی | ۱۳۸۶

Amoureusement | Céramique | Amorously | Ceramic
50 x 20 x 7 cm | 2007

Jour et Nuit

Aidin Aghdashloo

Artiste

2000

Maryam Salour a débuté sa carrière en réalisant des pièces en céramique aux formes et aux volumes familiers. Mais elle a su innover par l'ajout de concepts nouveaux, parfois sobrement en mélangeant harmonieusement diverses couleurs d'émail, et parfois de manière plus audacieuse en ébréchant le bord des plats et assiettes, en striant leur surface ou en les éclaboussant de plusieurs couches de glaçure de couleur vive. Le résultat est nettement supérieur et beaucoup plus riche que ce que peut offrir la vaisselle décorative courante. Cependant, il devint vite évident que Maryam Salour ne se satisferait pas de ce cadre et considérerait la dimension

fonctionnelle de ses oeuvres, pour l'essentiel plats et assiettes ainsi que vases et pieds d'abat-jour, comme une entrave à sa liberté d'expression. Progressivement, elle se mit à sculpter des statues représentant des corps humains, ni particulièrement grands ni très volumineux, simples et empreints de dignité voire de tristesse. Soit par affection soit par curiosité, l'observateur devait se pencher vers elles pour les examiner. Ces statues sont pour la plupart dépourvues de visage. Leurs corps élancés et harmonieux et leur texture râpeuse passée au peigne à carder sont pleins de charme. Certaines d'entre elles sont penchées sur le côté ou vers l'avant mais, en général, elles reposent sur un socle qui les stabilise. La couleur de ces statues varie du foncé au clair et leur texture de cire constitue une nouvelle expérience dans ce pays. Pour quelques-unes, la forme de la tête évoque celle d'un coeur.

Parmi les plus réussies d'entre elles, on ne manquera pas de mentionner ce couple de statues identiques se tenant côte à côte, l'une noire et l'autre blanche. D'autres modèles sont également remarquables, entre autres un ensemble de statues de couleur foncée à la haute silhouette statique dont le visage est à peine discernable. Il semble qu'elles ont été recouvertes d'un très long tissu imaginaire dissimulant les détails pour ne laisser apparaître que l'esquisse générale et symbolique de l'oeuvre. Un autre domaine artistique où Maryam Salour excelle est la

réalisation de panneaux muraux résultant de la même rugosité de texture avec un tracé de lignes obliques opposées qui reflètent l'aboutissement de sa longue et profonde recherche dans notre art d'avant-garde contemporain. Les panneaux muraux revêtent des formes rectangulaires, parfois figurant un cadre, et arborent les couleurs de fond blanc, noir et gris qu'elle affectionne. L'ensemble de ces oeuvres de grande dimension rappelle les nouvelles possibilités que recèle l'art des panneaux muraux. Depuis 15 ou 16 ans, Maryam Salour travaille sans relâche, avec le plus grand sérieux et sans maniérisme dans divers domaines artistiques. A ce jour, à la vue du résultat de ses efforts, on peut espérer et souhaiter qu'elle poursuive cette voie avec la même aptitude, la même témérité et la même persévérance.

Day and Night

Aidin Aghdashloo
Artist
2000

Maryam Salour started her career as an artist with ceramic pottery. What she made were recognizable in their familiar shapes and forms, but they had additions that were at times dainty (harmonious compositions of colorful glazes) and at times cheeky (serrated edges, crosshatch patterns, and splashes of glazes over colorful glaze) that made the whole piece look much more than just a decorative wear.

It was clear back then that she was not content with limitations imposed by functionality and would move beyond the use-value of her creations – mostly plates, vases, and lamp stands – and this is what happened. She is now making sculptures: simple, majestic, and at times forlorn, not too tall or broad-shouldered. The viewer would need to bend over and get nearer to satisfy his/her curiosity.

These statues are usually without a visage. Their bodies are drawn out and balanced, which go well with their grated and furrowed texture. Some are bent to the side or over, but they do have a base that supports them. Their colors range from dark to light and their wax-like texture is a new technique in Iran. In several statues, in the place of a head, we see a shape akin to a heart; among these, a pair of statues is the most successful. The two sculptures, standing next to each other, are identical in shape; however, one is black and the other white.

Among other works, the series of dark sculptures with tall and stationary bodies are also pleasant. Their visages cannot be discerned, as if covered by a long imaginary cloth that effaced all the facial details, leaving only the general outline of the idea.

Maryam Salour's *Walls* are another set of works that show her prolonged conversation and affinity with the contemporary art scene. Characterized by coarsened and slashed surfaces, these walls are rectangular shapes in her favorite black, white, and grey colors. Their huge dimensions bring out the hidden potentials of blank slates.

For the past sixteen years, Maryam Salour has pursued her calling with utmost resolve and without pretense. She has experimented in many areas and with many mediums. Looking at the specimens of her works up until today, we can hope that she will continue on her path with courage and determination.

فرشته‌ی من | پلی استر رزین، پودر سنگ، اکریلیک سیاه | ۱۳۷۷
Mon Ange | Polyester résine, Poudre de Pierre, Acrylique | My Angel | resin, stone powder, acrylic | 45 x20 x 10 cm | 1998

شیطان سیاه | پلی استر رزین، پودر سنگ، اکریلیک سیاه | ۱۳۷۷

Le Diable Noir | Polyester résine, Poudre de Pierre, Acrylique | Black Devil | resin, stone powder, acrylic | 38 x 14 x 7 cm | 1998

Jour et nuit, noir et blanc, bien et mal :
j'avais entendu ces mots dés mon enfance.
J'étais née au pays du manichéisme, du
bien et du mal, et j'y avais grandi. Je cher-
chais un équilibre où les deux pourraient
coexister à parts égales.
   Le lever et le coucher du soleil.

Day and night
black and white
good and evil
the timbre of these words
in my ears since childhood
in the land of Good and Evil and then
finding balance in their presence
sunrise and sunset

روز و شب | سفال رنگی | ۱۳۷۷

Jour et Nuit | Terre Cuite | Coloré| Day and Night | Colored earthenware
80 x 12 x 9 cm | 1998

به نرگس...

م. سالور

مریم سالور

مشخصات ظاهری: ۳۲۰ص.: مصور(رنگی)؛ ۲۲ × ۲۹س.م.   مشخصات نشر: تهران: چاپ و نشر نظر ۱۳۹۸/گردآوری اطلاعات لیلا مفید.   عنوان و نام پدیدآور: مریم سالور منتخب آثار ۱۳۹۷-۱۳۶۵/گردآورنده   مفید، لیلا، ۱۳۶۴-

Women potters -- Iran -- Biography : موضوع   ۹۷۸-۶۰۰-۱۵۲-۳۱۴-۴ : شابک   وضعیت فهرست نویسی: فیپا   موضوع: سالور، مریم، ۱۳۳۳ - -- مصاحبه‌ها   موضوع: زنان سفالگر -- ایران -- سرگذشتنامه

Sculpture -- Iran -- 20th century : موضوع   موضوع: پیکرتراشی -- ایران -- قرن ۱۴   Women artists -- Iran -- 20st century -- Biography : موضوع   موضوع: زنان هنرمند -- ایران -- قرن ۱۴ -- سرگذشتنامه

رده بندی کنگره: NK۴۲۱۰   Pottery, Iranian -- 20th century : موضوع   موضوع: سفال ایرانی -- قرن ۱۴   Painting , Iranian -- 20th century : موضوع   موضوع: نقاشی ایرانی -- قرن ۱۴

شماره کتابشناسی ملی: ۵۹۰۶۰۹۰   رده بندی دیویی: ۷۳۸/۰۹۴۲۲۶

خیابان ایرانشهر جنوبی، کوچه شریف، شماره۲ تلفن: ۸۸۸۲۸۹۰۳- ۸۸۸۴۳۲۹۴- ۸۸۸۴۴۱۷۸
w w w . n a z a r p u b . c o m | i n f o @ n a z a r p u b . c o m

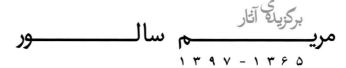

مریــم ســـالور
برگزیده‌ی آثار
۱ ۳ ۹ ۷ - ۱ ۳ ۶ ۵

مترجمان فرانسه: مینو مشیری، هوشنگ اسفندیار شهابی، یولاند ممتاز، مانا دهناد، ژوستین لاندو | مترجمان انگلیسی: مینو مشیری، سهراب مهدوی، هوشنگ اسفندیار شهابی، ژوستین لاندو | ویرایش متن فارسی: سایه اقتصادی‌نیا | ویرایش متن انگلیسی: سهراب مهدوی

بازبینی و آیین نگارش: محمدرضا حائری مازندرانی، سایه اقتصادی‌نیا، ونسان روتژه، نیوشا میلانی، ژان طارابلسی، شیدا دیانی | گردآوری اطلاعات: لیلا مفید |

مدیر هنری و اجرایی: سیاوش یزدان‌مهر | گرافیک و صفحه‌آرایی: حامد شعبانی صمغ‌آبادی

عکاسی: سعید بهروزی ، محمد سیداحمدیان، نگین عباسی، هومن صدر، نغمه قاسملو، محمد عرب، مهرداد سیداحمدیان، کاوه سیداحمدیان، امین دوایی، نسترن فتوحی، حمید اسکندری، سهند بهروزی، نادر سماواتی، علی فربود

آماده‌سازی و چاپ: چاپ و نشر نظر | امور بازبینی و اصلاح فایل‌های تصویری و آماده‌سازی پیش از چاپ: سعید کاوندی | مدیر تولید: مهدی ابراهیم |

تیراژ: ۱۰۰۰نسخه | چاپ اول: تهران ۱۳۹۹ |

شابک: ۹۷۸-۶۰۰-۱۵۲-۳۱۴-۴

آتلیه تجریش| تهران | ۱۳۶۸

Atelier de Tajrish | Téhéran |Tajrish Studio | Tehran | 1989

مریــــــم سالور

برگزیده‌ی آثار
۱۳۶۵-۱۳۹۷

با یاد وخاطره‌ی مادرم نازتاب سالور که دستم بگرفت و پابه‌پا برد.
و همچنین ثریا کاظمی سپاهی و منیر ابطحی.
و قدردانی از فرانک سالور و زهره‌کاظمی (استنبولت)، که همچنان در فراز و نشیب‌های زندگی در کنارم هستند.

با سپاس و قدردانی از مجموعه‌داران، ژان بورکل و دکتر آرش سالور که با حمایت خویش به چاپ
این کتاب یاری رساندند.

با سپاس و قدردانی از دوستانم برای ترجمه و ویرایش
مینو مشیری، هوشنگ اسفندیار شهابی، سهراب مهدوی، ونسان روته،
یولاند ممتاز، مانا دهناد، محمدرضا حائری، شیدا دیانی، ژوستین لاندو
نیوشا میلانی، ژان طارابلسی، سایه اقتصادی‌نیا

با سپاس و قدردانی از انتشارات نظر
آقای محمودرضا بهمن‌پور، آقای سعید کاوندی و خانم مهرو هاشمی، خانم روشنک مافی

نمایشگاه‌های انفرادی

۱۳۶۶- در محل کارگاه شخصی

۱۳۶۷، ۶۸، ۷۰- گالری گلستان، تهران

۱۳۷۱- گالری کلاسیک، اصفهان

۱۳۷۲- گالری گلستان، تهران

۱۳۷۲- بخش فرهنگی سفارت فرانسه در تهران به مناسبت صدمین سال تولد سنت اگزوپری

۱۳۷۴- سمفونی پرواز، موزه‌ی سعدآباد، تهران

۱۳۷۵- سمفونی پرواز، گالری آرکاد شوس کوک، ژنو، سویس

۱۳۷۷- روزوشب، گالری گلستان، تهران

۱۳۷۹- رؤیت زمین، فرهنگسرای نیاوران، تهران، شمیران

۱۳۸۰- دگردیسی خاک، دانشگاه ایلینویز (شیکاگو)، ایالات متحده‌ی امریکا

۱۳۸۱- کنفرانس بین المللی ایران شناسی (sis) واشنگتن، ایالات متحده‌ی امریکا

۱۳۸۲- چهار باغ، رؤیای بهشت گمشده

– خانه‌ی عامری‌ها، کاشان

– موزه‌ی هنرهای معاصر، اصفهان

– فرهنگسرای نیاوران، تهران

۱۳۸۴- سرگشتگی، خانه‌ی هنرمندان، تهران

۱۳۸۴- سنت آنتونی کالج اکسفورد، انگلستان

۱۳۸۷- سیمرغ، دانشگاه مدیریت لاهور پاکستان (LUMS)

۱۳۸۸- دفتر خاطرات، گالری هما

۱۳۸۹- کمی هوای تازه، گالری اعتماد، تهران

۱۳۹۰- کمی هوای تازه، مترسک‌ها، گالری قصر کوچک،کلونی ژنو، سویس

۱۳۹۳- مترسک، گالری زیرزمین دستان، تهران

۱۳۹۶- قاصدک، گالری ایرانشهر، تهران

نمایشگاه‌های گروهی

۱۳۶۷- موزه‌ی هنرهای معاصر، تهران

۱۳۷۱- موزه‌ی هنرهای معاصر، تهران

۱۳۷۱- دانشگاه جورج واشنگتن، واشنگتن، ایالات متحده‌ی امریکا

۱۳۷۱- گالری گلستان تهران

۱۳۷۲- نمایشگاه بین‌المللی هنر، گالری سیحون، تهران

۱۳۷۲- ۱۰۰ اثر ۱۰۰ هنرمند، گالری گلستان، تهران

۱۳۷۳- موزه‌ی هنرهای معاصر تهران، تهران

۱۳۷۴- موزه‌ی هنرهای معاصر تهران، تهران

۱۳۷۵- موزه‌ی هنرهای معاصر تهران، تهران

۱۳۷۶-گالری دو سر (گوزن)، پاریس، فرانسه

۱۳۷۷- موزه‌ی هنرهای معاصر تهران، تهران

۱۳۷۹- نمایشگاه هانور، هانور، آلمان

۱۳۷۹- موزه‌ی هنرهای مدرن کاراکاس، ونزوئلا

۱۳۸۱- گالری هنری آریان، تهران

۱۳۸۷- موزه‌ی پرگامون، برلین، آلمان

۱۳۹۰- موزه‌ی ملی اسکاتلند، ادینبورگ، اسکاتلند

۱۳۹۱- زمستانه، کاخ بزرگ پاریس شرق، پاریس، فرانسه

۱۳۹۲- موزه‌ی ملی اسکاتلند، ادینبورگ، اسکاتلند

۱۳۹۲- گالری اپرا، دوبی، امارات متحده‌ی عربی

۱۳۹۲- گالری اپرا، لندن، انگلستان

۱۳۹۳- سالن پاییزه‌ی شانزلیزه، پاریس، فرانسه

۱۳۹۴- سومین جشنواره‌ی بزرگ هنر برای صلح، مرکز فرهنگی نیاوران، تهران

۱۳۹۴- شکستنی، مرکز فرهنگی نیاوران، تهران

آثار هنری خریداری شده توسط سازمان‌های عمومی وموزه‌ها

۱۳۷۲- دیوار کاشی «آفرینش»، مجسمه‌ی زمان، باغ انجمن خوشنویسان، تهران

۱۳۷۳- سفال لعابی «اشراق»، موزه‌ی هنرهای معاصر، تهران

۱۳۷۳- سه اثر سفال لعابی، مجسمه‌ی پرواز، مجسمه‌ی رهایی، آفرینش شماره‌ی۲، موزه‌ی صنایع دستی، تهران

۱۳۷۵- سفال لعابی، بنیاد دکوراسیون کانتون و هنرهای تجسمی،ژنو، سویس

۱۳۸۰- یک عدد نقاشی خمیر کاغذ ومواد مختلف «ایران» از مجموعه‌ی رؤیت زمین، موزه‌ی هنرهای معاصر، تهران

۱۳۸۰- مجسمه‌ی سفال لعابی «بودا»، دو مجسمه‌ی بدون عنوان، یک عدد تابلوی نقاشی «افراها در نیمه شب» از مجموعه‌ی رؤیت زمین، فرهنگسرای نیاوران، تهران

۱۳۸۱- مجسمه‌ی سفال لعابی «شیطان در رویای فرشته»، فرهنگسرای نیاوران، تهران

۱۳۸۳- مجسمه‌ی سفال لعابی «فرشته»، کالج سنت آنتونی، آکسفورد، انگلستان

۱۳۸۹- مجسمه‌ی سفال لعابی «شیطان و فرشته»، شقایق‌ها از چیدمان دره‌ی لار، چند قطعه سفال لعابی، موزه‌ی ملی اسکاتلند، ادینبورگ، اسکاتلند

۱۳۸۹- چهار عدد عکس از مجموعه‌ی مترسک‌ها، عمارت کلونی (Le Manoir de Cologny)، ژنو، سویس

۱۳۹۳- دو عدد کلاژ از مجموعه‌ی مترسک‌ها، موزه‌ی پنج قاره، مونیخ، آلمان

۷ صبح روز شنبه ۲مهرماه ۱۳۳۳، با عنصر غالب وجودم هوا (باد)، از پدر و مادری سرشار از شور زندگی به دنیا آمدم، در خانواده‌ای فرهنگی و هنردوست. یاد ندارم که چیز زیادی در مدرسه یاد گرفته باشم. هرچه می‌بایست بدانم در خانه بود. باغ بود و درخت و جوی آب و جوجه‌تیغی و قورباغه و شگفتی زندگی با هرچه در درونش بود. سرگرمی پدربزرگ از نوجوانی عکاسی و نوشتن طنز برای روزنامه بود. مادربزرگی بافرهنگ و ادیب داشتم، دایی‌ام نویسنده بود، مادرم معلم ومدیرمدرسه، هنرمند و روشنفکر، و خاله‌ام -همزاد مادرم- هنرمند و نساج. خانواده بزرگ بود، پُر از خاله‌ها و دایی‌ها و عموها و عمه‌ها و فرزندان و نوه‌هایشان که ما بودیم و همگی در یک محله و دیواربه‌دیوار هم زندگی می‌کردیم و طبیعتاً زندگی‌مان پر از قصه بود.

مادرِ پدربزرگم، مریم عمید سمنانی، الهام‌بخش خانواده‌ی ما بود؛ از اولین روزنامه‌نگاران زن و فعال اجتماعی. او همچنان برایم الهام‌بخش است. پدرم را هرگز مستقیم نشناختم؛ فقط از تصویر و داستان‌هایی که دیگران بازگو می‌کردند و همیشه باعث تأسفم می‌شد که نتوانستم او را بشناسم که با چنان شوری زندگی کرد و آن‌چنان جوان از این دنیا رفت.

اهل درس ومدرسه نبودم. از هر اجباری بیزار بودم. در عوض شیفته‌ی کتاب خواندن و یادگیری آزادانه از همان سال‌های اول دبستان بودم. چاره‌ای هم نداشتم، همه درخانه در حال کتاب خواندن بودند. پس از پایان دوره‌ی دبیرستان به لندن رفتم. در یک مدرسه‌ی علوم کامپیوتر، سیستم عامل خواندم. در تمام آن دوره رؤیایم اقامت در پاریس بود. در دهه‌ی ۱۹۷۰ لندن شهری خاموش با آسمانی همیشه خاکستری بود. در عوض، پاریس، با آفتاب بیشتر، پُر از اتفاق بود: سینما، نمایشگاه‌های هنری، تئاتر، مُد، کافه‌ها و محله‌های پُر رفت و آمد. بدین شکل، پس از ۹ ماه زندگی در لندن، ۱۴ سال در پاریس زندگی کردم. در آغاز رشته‌ی کامپیوتر را ادامه دادم، به سختی. مادرم در نامه‌ای برایم نوشت: «مریم کامپیوتر به درد تو نمی‌خوره. برو به‌طرفِ رشته‌های هنری.» علیرغم اینکه عاشق کارهای هنری بودم و از کودکی نقاشی وخانه‌سازی می‌کردم -چون هرگز تحمل کلاس‌های خسته‌کننده‌ی طراحی را نداشتم- هیچ اعتمادبه‌نفسی برای وارد شدن به دانشگاه هنرهای زیبا در خود نمی‌یافتم. در آن زمان، زنده‌یاد ایرج کریمخان زند، از دوستان نوجوانی من، هم پاریس بود و به من اطمینان می‌داد که طراحی‌هایم برای ورود به دانشگاه هنر کافی است. ولی چیزی مانع می‌شد. شاید ترس از پذیرفته نشدن. پایان تحصیلاتم همزمان با سال‌های اول انقلاب در ایران بود. مادرم از عهده‌ی تأمین مخارج من بر نمی‌آمد؛ بنابراین، به کارهای کوچک از ساخت زیورآلات تا بچه‌داری برای تأمین هزینه‌ی زندگی رو آوردم. درخت‌های کوچک نقاشی می‌کردم و در کنار ایرج و سایر دانشجویانِ هنر در پیاده‌رو بلوار سن‌ژرمن به فروش

خانه‌ی کودکی محله‌ی تجریش | تهران | ۱۳۳۵
La masoin L'enfance, Quartier de Tajrish | Téhéran | 1956
Childhood Home, Tajrish Neighborhood | Tehran | 1956

مریم سالور در آغوش پدر
Maryam Salour dans les bras de son père
Maryam Salour in her father's arm

می‌گذاشتم. موفق هم بودم. این دوره از بهترین تجربه‌های زندگی‌ام بود؛ حس استقلال و آزادی را در من تقویت کرد. در همین زمان به عنوان خطاط و تصحیح‌کننده‌ی اشتباهات چاپی در یک انتشارات لبنانی-فرانسوی به نام «انتشارات خیاط» مشغول به کار شدم. در این انتشارات قرآن چاپ می‌شد. رفته‌رفته کارم گسترش پیدا کرد. سرپرست آتلیه شدم. چندی بعد، انتخاب خط و ساخت ماکت قرآن‌ها به من سپرده شد. این کار باعث شد جدی‌تر وارد جهان هنر شوم. از آن جایی که همیشه در جست‌وجوی موضوعی تازه بودم، پس از چند سال با خاطره‌ای خوب به همکاری‌ام با این انتشارات خاتمه دادم. مدتی بیکار بودم تا به آتلیه‌ی خانواده‌ی ساوینی (خاندان هنر سفالگری) برخوردم. وارد کارگاه آنها شدم و زندگی‌ام به کلی تغییر کرد. گویی در راه درست قدم گذاشته بودم. هرگز جهان آرام کوزه‌های به ردیف نشسته در طبقات و بوی خاص گِل را در روزی که وارد کارگاه سفالگری و مجسمه‌سازی ساوینی شدم فراموش نمی‌کنم . مفتون آن شکل‌های ساده و معصوم بودم. این شیفتگی هنوز در من باقی است. دستم که به گل خورد، فکر خاموش شد و زمان باز ایستاد. جهان دیگری گشوده شد و بار دیگر ـ همچون دوران کودکی ـ یکی شدم با کاری که می‌کردم. پریشانی‌ها دورتر و دورتر شدند. آزادی و آرامش در من جای‌گیر شد.
در بازگشت به ایران در سال ۱۳۶۴، به کمک همسرم ، کارگاه سفالگری خود را برپا و شروع به کار کردم.
فرزندم در من رشد می‌کرد و من با گِل رشد می‌کردم. با به دنیا آمدن نرگس زندگی معنای جدیدی پیدا کرد و مرا در یک مرحله‌ی دیگر کامل‌تر کرد. از آن جایی که گِلی که در بازار سفالگری آن روزها وجود داشت جوابگوی من نبود، کتاب‌هایی از کشورهای مختلف دنیا تهیه کردیم و به مطالعه‌ی آنها پرداختیم. پس از مدتی، به ایده‌آل خود برای ساخت گِل سفید ـ که مواد عمده‌ی اولیه‌اش در معادن ایران یافت می‌شد ـ رسیدیم. پس از آن نیز رفته‌رفته به ساخت رنگ و لعاب‌های شخصی خود پرداختم.
هیچ چیزی به یکباره اتفاق نمی‌افتد. دانه‌ای کاشته و آبیاری می‌شود تا در زمان مناسب شکوفا شود. من فرم‌هایی ساده و معصوم می‌ساختم و آنها مرا.

مریم سالور
مهرماه ۱۳۹۶

یک گفت‌وگو

سیاوش یزدان‌مهر

بهار ۱۳۹۷

در پنجمین بی‌ینال سفال و سرامیک در موزه‌ی هنرهای معاصر تهران همه ظرف و مجسمه‌های سفال و سرامیک کار کرده بودند اما اثر شما یک دیوار سفالی بود. چطور به این فرم رسیدید؟

دیوار را دوست دارم؛ هم فرمش را و هم روحش را. چون دو وجه دارد: یکی بازدارنده است یکی حمایتگر. ضمن اینکه در تبدیل کار سه بعدی به دو بعدی و تبدیل حجم به سطح، یافته‌های بسیاری نصیبم شده است. همینطور از بافتی که کاشی‌ها ایجاد می‌کردند. من دیوار را ساختم برای اینکه هر کسی هر کاری می‌خواست بکند انگار یک دیوار جلویش بود. برای همین دیوار آمد؛ از لحاظ احساسی آمد و حسی بود که در این اجتماع به من دست داده بود. آن را ساختم، سوارش کردم، بردیم آنجا نصبش کردیم. عنوان کار را هم گذاشتم: دیوار، رؤیای چهارگوش.

پس دیواری که طراحی کردید و ساختید با دیوارهایی که ما در معماری ایران می‌بینیم ارتباطی نداشت؟

حتماً این ارتباط وجود دارد. نمی‌توانی در سرزمینی زندگی کنی که معماری آن تا این حد زیبا و قدرتمند است و از آن متأثر نباشی. ایده‌ی ساخت این کار از تأثیر زندگی در این اجتماع بود. این فرم را خیلی دوست دارم. همیشه دلم می‌خواست که در یک پارک تعدادی دیوار پشت سر هم بسازم. اما هیچ وقت دنبال کارهای شهری نرفتم، ارتباطی هم با کسی در شهرداری نداشتم. در کل نتوانستم اینجا، آن طور که دلم می‌خواهد، فعالیت اجتماعی داشته باشم.

به این هم فکر کرده بودید که خود را از دیگر سفالگران متمایز کنید؟

کاری به هنرمندهای دیگر نداشتم، هیچ وقت نخواستم که خود را با آنها مقایسه کنم. این قیاس ممکن است پیش بیاید. من کارم با خودم است و اتفاقاتی که در روان و احساساتم می‌افتد. این است که باعث می‌شود کاری را انجام دهم یا ندهم.

به هر حال کار جسورانه‌ای بود.

شاید جرئت با من زاده شده است یا از زندگی‌های قبلی با خودم آورده‌ام... همینطور بی‌حوصلگی از یکنواختی. مثل اینکه در بچگی بعد از چهار بار بازی کردن قایم موشک دفعه‌ی پنجم حوصله‌ی بازی نداشتم و پی کار خودم می‌رفتم. حوصله‌ام از یکنواختی سر می‌رود.

در هر صورت، ساخت این دیوار اتفاقی بود در سفال و سرامیک و شاید نتیجه‌اش را وقتی دیدم که دبیر بی‌ینال هشتم شدم.

دیوار، رؤیای چهارگوش | سفال رنگی | موزه‌ی هنرهای معاصر تهران | ۱۳۷۷

Le Mur, Le Rêve Carré | Terre cuite Colorée | Musée d'art Contemporain de Téhéran

Wall, Square Dream (Four Corners of a Dream) | Colored earthenware | Tehran Museum of Contemporary Art| 280 x 120 x 25 cm | 1998

در آن زمان نگاه بیرون به کارهایتان چه بود؟

نمی‌دانم.

نگاه هنرمندهای دیگر به کارتان چه بود؟

زیاد با هنرمندان در ارتباط نبودم. کسی که بیشتر از همه با او ارتباط داشتم ایرج زند بود که دوستی دیرینه‌ای با هم داشتیم. خوب؛ ایرج خیلی مشوق بود. هنگامی که در پاریس دلتنگ می‌شدم، شعر می‌نوشتم و کنار شعرهایم ابر و پرنده می‌کشیدم، درخت و پنجره. او همیشه به من می‌گفت: مریم! بی‌خیال کامپیوتر! برای ورود به مدرسه بوزآر (Beaux Arts) کارهای تو کافی‌ست. اوایلی هم که ایران آمده بودم ایرج مرا خیلی تشویق می‌کرد. می‌گفت: پوف! کارت خیلی هم خوبه ... برای اینکه... از بس کار می‌کنی... من کمبود دانش آکادمیک هنری را با پرکاری در آتلیه جبران می‌کردم و در عین حال این کمبود به من آزادی و جسارت می‌داد.

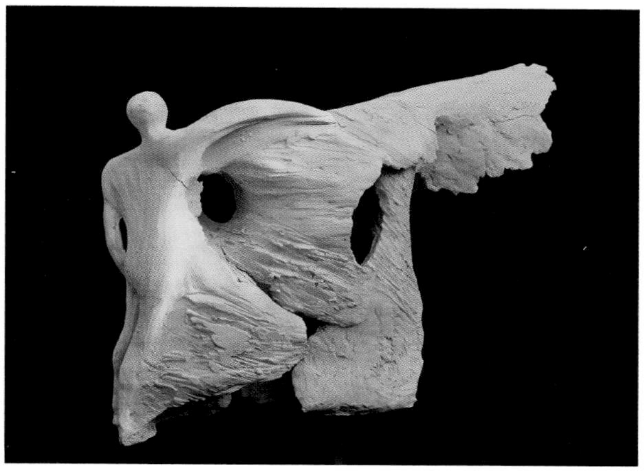

مرد-پرنده | سفال | ۱۳۷۴
L'Homme - Oiseau | Terre Cuite
Man-Bird | Earthenware | 30 x 45 x 10 cm | 1995

از یکدیگر هم ایده می‌گرفتید؟

خیلی... هم از لحاظ فکری، هم از لحاظ دوستی و پشتیبانی در اجتماع، مشابه دو هنرمند. کسی که عقیده‌اش خیلی برایم مهم بود ایرج بود. برای اینکه سواد داشت. وقتی اولین پرنده‌هایم را ساختم ایرج آنها را دید. چند وقت بعد، من رفتم آتلیه‌اش و دیدم، شبیه پرنده‌های من در تابلوی اوست. عصبانی شدم و گفتم: «ایرج! اینکه شبیه پرنده‌های منه!» گفت: «آره...باشه. خب اصلاً هنر همینه! من از تو می‌گیرم، تو از من می‌گیری...» خیلی راحت برخورد کرد و از او درس گرفتم. اگر پرنده‌هایم از طوطی‌هایی بود که جیغ‌کشان از بالای آتلیه رد می‌شدند و ناچار می‌شدم آنهارا بسازم، از طرف دیگر آن بدن‌هایی که در تابلوی ایرج می‌دیدم برایم الهام‌بخش بود و در جایی از کارهایم پدیدار می‌شد که هیچ عیبی هم نداشت. این تأثیر طوری بود که نفیسه ریاحی که خودش نقاش بود و چشم ماهری داشت اولین کتیبه‌هایی را که کار کرده بودم وقتی دید فکر کرد که کار ایرج است. در صورتی که خام‌تر از کار ایرج بود، ایرج کارش پخته بود. از بچگی به طور جدی نقاشی و طراحی کرده بود. کار من یک خامی‌ای داشت که شاید جذابیتش هم به همین بود.

سمفونی پرواز اولین دوره‌ای‌ست که فیگورهای انسانی در کارهایتان پدیدار می‌شوند، اما تمامی فیگورها ناقص‌اند. جایی تکه‌ای از اندام دیده می‌شود و در جای دیگر، قبل از آنکه فیگور کامل بیرون بیاید، انگار منجمد شده است. این کارها برای من شبیه دگردیسی‌اند، می‌توانید کمی از آن دوره صحبت کنید؟

یکی از مهم‌ترین دوران جستجوگری‌ام بود. اینکه از دگردیسی حرف می‌زنی کاملاً درست می‌گویی. داشتم از فرم‌های ساده‌ی سرامیکی به فرم‌های پیچیده‌تری گذر می‌کردم. در مدرسه‌ی ساوینی چون توان پرداخت هزینه‌ها را نداشتم نتوانستم دوره‌ی مجسمه‌سازی را بگذرانم، برای همین بدون آنکه آموزشی از طرف یک استاد را داشته باشم باید خودم درگیر می‌شدم و پیدا می‌کردم و می‌رسیدم. پس در آنها ضعف هست، قدرت هم هست.

از چه منابعی الهام می گرفتید؟

بدن خودم، پرنده ها و بدن فرزندم که کوچک بود و من دائم با این بدن سر و کار داشتم. از طرفی هم همان دسته های طوطی که جیغ کشان می آمدند و دور می شدند.

آیا سمفونی پرواز دوره ی موفقی هم بود یا این بینابینی بودن کارها فروش را هم تحت الشعاع قرار داد؟

بستگی دارد که موفقیت را چطور تعریف کنی. هیچ وقت در زندگی ام اینجوری نگاه نکردم که مثلا به هدف رسیدم. یک مسیری بود که باید می گذشتم و از آن عبور می کردم. کارهایم همیشه پرفروش بود؛ آن قدر که می توانستم از بقیه ی هنرمندان هم کار بخرم ولی این بار این طور نشد.

هر جستجوگری ممکن است زمانی سرخورده شود، این دوره از آن جنس بود؟

بله! نمی توانم بگویم شکست، ولی سرخورده شدم. نمایشگاه را در سعدآباد گذاشتم. یکی از آشنایان نقاش گفت: «این ها که مجسمه نیست! حجم نیست! در صورتی که به نظر من اگر کاری دو میلی متر هم ضخامت دارد، حجم است. این تقسیم بندی ها را قبول ندارم که حالا این حجم است آن سطح. مسئله بیان است. بیان احساسات و حالات یک انسان. یادم هست که خیلی ناامید شدم چون اصلاً فروش نکردم و آن قدر کارها غیرمتعارف بود که موزه ی سعدآباد از من به خاطر برگزاری نمایشگاه پول گرفت و گفت: «ما روی فروش شما نمی توانیم حساب کنیم و اصلاً این کارها را نمی فهمیم.»

بعد از نمایشگاه دچار افسردگی شدم ولی باید این راه را می رفتم و رفتم. خدا را شکر! حالا فکر می کنم مجسمه هایم طرفدار دارد... الان که داریم با هم گفت و گو می کنیم کار کردن به آن صورت با گل، چه از لحاظ روحی، چه از نظر فیزیکی برایم تمام شده است. در حال حاضر ایده های دیگری دارم با مواد دیگر.

فرشته ی من در خواب | سرامیک | ۱۳۷۹
Mon Ange Endormi | Céramique
My Sleeping Angel | Ceramic | 10 x 18 x 15 cm | 2000

پس خودتان را جلوتر از مخاطب می بینید؟

ذهن که خلاق باشد، جلوتر می رود. مسئله آگاهی و هوشیاری ست. هنرمند بودن داستان پیچیده و سخت و مهمی ست. خیلی از صفات تو باید عالی باشند تا بتوانی هنرمند خوبی باشی. اگر اجتماع هم این طور می بود؛ دنیا به این وضع نمی افتاد.

کارهای سرامیک شما و صورت هایتان، به خصوص، به کارهای برانکوزی شبیه است، خودتان را متأثر از او می دانید؟

حالت چشم و لب در صورت انسان خیلی مهم و قوی هستند. روحیه و احوال یک انسان را نشان می دهند. برایم رسیدن به فرم دلخواه در آن ها کار بسیار مشکلی بود و مهم تر آنکه این برخورد طرز بیان من نبود. ترجیح می دادم با فرم کلی بدن و صورت بتوانم حالت را بیان کنم. یک حالت انتزاعی و در عین حال اسرار آمیز داشته باشند.

الهه ی خفته | کنستانتین برانکوزی | مفرغ | ۱۲۸۹
Muse Endormie | Constantin Brâncusi
Sleeping Muse | Constantin Brâncusi | Bronze | 1910

این طور بیشتر دوستشان داشتم. باز بر می گشتند به معصومیت ظروف اولیه ای که می ساختم. روزی یکی از دوستان معمارم که آنها را دید گفت: چقدر کارهای تو شبیه به کارهای برانکوزی ست و من آنجا تازه برانکوزی یادم آمد. این بار دنبالش رفتم.

انتخاب کردید که در ایران زندگی کنید یا مجبور شدید؟

هر دو. هم اجبار وهم انتخاب. بلافاصله بعد از هیجانات انقلاب بین ایران و عراق جنگ شده بود. مملکت ناآرام بود و مادر من هم. درهمین زمان سفری کوتاه به ایران آمدم. ظاهر قضیه در تهران خوب بود، مردم زندگی روزمره شان را می کردند اما با چاشنی بسیار قوی ترس و اضطراب. در همان سفر بمبی در چند قدمی خانه‌مان منفجر شد و یک خانواده از بین رفت. با صدماتی که در محله ایجاد شد از اولین افرادی بودم که به محل حادثه رسیدم. هیچ چیز دیده نمی‌شد؛ فقط صدای هولناک ریزش خانه‌ها بود و خاکی که در فضا پخش شده و جلوی دید را می گرفت. نمی توانم بگویم ترسیده بودم یا نه. در بهت وحیرت و خالی از هر حسی بودم. شوک! چند روزی پس از این حادثه مجبور بودم باز گردم به پاریس. آنجا کار می کردم و مسئولیت داشتم. در بازگشتم به پاریس تحمل آن شهر زیبا با مردمانی فارغ از جنگ وخشونت را دیگر نداشتم و تنهایی مادرم هم بزرگ‌ترین دلیل بازگشتم شد. همین تصمیم شرایط خوبی را در زندگی‌ام رقم زد ...تغییر رشته و ورود حرفه‌ای به دنیای هنر همه در پی این تصمیم آمد.

هنوز هم مثل خیلی از کسان دیگر در این اجتماع گاهی این سؤال را می کنم که کجا می‌توانم بروم و زندگی کنم؟ ولی با بن‌بست روبه‌رو می‌شوم برای اینکه ته دلم هم می‌دانم که بهترین جا، همین جاست. خانه ای که در آن به دنیا آمدم و رشد کردم. درست مثل همین درختان افرا. به هر حال به دلیل علاقه‌ام به فرانسه و فرهنگش و رشدی که در آن سال‌ها آنجا داشتم آن جا هم خانه‌ام است. سرزمینت گاه با آب وخاک است وگاه بار فتار واندیشه‌ی آدم‌ها. و این چنین انسان به دو یا چند سرزمین متعلق می‌شود.

آتلیه‌ی ساوینی | پاریس | ۱۳۶۴ | 1985 | Atelier Savigny | Savigny Studio | Paris

خیلی از هم نسلان شما چون شرایط کار اینجا مشکل بود و احساس کردند که در این جامعه فهمیده نمی شوند، تصمیم به مهاجرت گرفتند.

درآغاز بگویم که من هیچ‌وقت این مشکل را نداشتم که اینجا فهمیده نمی‌شوم، خیلی هم خوب فهمیده می‌شدم. در اثر کاری که کردم فهمیدم که هموطن‌های من، قوم من، چه قوم حساس وظریفی هستند. حالا اگر کار من جایی گیر کرد، به خاطر کوچک و خرد بودن یک سری افراد است که قدرت دست آنهاست. وقتی که کاشان نمایشگاه گذاشتم. کله‌ی سحر مردی جوان به همراه همسر و بچه شان آمدند نمایشگاه وآینه‌های من را روی زمین دیدند، گفتند:« منظورتون چیه؟ برای چه می‌خواهید آسمان را در این آینه نشان بدهید؟» این برای من جذاب بود که می‌خواستند با من وکارم ارتباط برقرار کنند. یک آدم عادی بود که نه استاد دانشگاه بود ونه روشنفکر، ادعایی هم نداشت. اشخاصی که اینجا مشکل ایجاد می کنند لزوما رؤسای موزه‌ها ومدیران دولتی نیستند چون آنها همیشه از من استقبال کرده‌اند.

موضوع این است که کسانی نامریی هستند که آن زیرها هدف خودشان را پیش می‌برند. رؤسای مراکز دولتی و موزه همیشه به من احترام گذاشته‌اند. این احترام نتیجه‌ی کاری‌ست که انجام می‌دهم. ولی مثلاً کسی که انباردار کارها در موزه هست جار می‌زند که: «کارهای خانم سالور قابل نگهداری نیست! اینها با شانه‌ی تخم‌مرغ درست شده است.» منظورش کارهایی از مجموعه‌ی رؤیت زمین بود که با خمیر کاغذ ساخته شده بود و رییس موزه آن‌ها را برای خرید انتخاب کرده بود.» همین کافی بود تا کارشناس موزه بگوید: از سه کاری که انتخاب کرده‌اند، یکی را بر می‌دارند، دوتای دیگر را می‌خواهند هدیه بگیرند یا اینکه با قیمت نازلی بخرند، من هم دو کار دیگر را پس گرفتم. الان بیست سال است که همان کار به نام: «ایران» در موزه هست، سالم مانده، ولی یک بار هم در نمایشگاهی نشان داده نشده است.

کارهای شما به شکلی بی‌زمان‌اند، مجسمه‌ای هست در انجمن خوشنویسان (باغ علا) که اسم کار را زمان گذاشته‌اید، دوست دارید کمی برایمان از این مفهوم صحبت کنید؟

زمان معمای بزرگی است. آدمی متوجه نمی‌شود که این زمان چیست؟ گذشته کدام است، آینده کدام است؟ اینها به همدیگر ربط دارند در عین حال که گذشته دیگر وجود ندارد و آینده هم هنوز نیامده است. پس چیزی در دست تو نیست. تنها واقعیت زمان حال است که کمتر متوجه آن هستیم. ما بی‌زمانی را در زمان حال تجربه می‌کنیم. بیشترین موقعی که در زمان حال زندگی می‌کنم موقعی‌ست که تمرکز کامل در کارم دارم. این تجربه برایم از کامل‌ترین لحظه‌های زندگی‌ام است با هر آنچه در آن وجود دارد. باور دارم که در این حالت می‌توانی کاشف فرمی باشی که در دسترس تو قرار گرفته است و تو باید تنها به آن جان ببخشی. شاید این دلیل بی‌زمانی کارهایم باشد.

چطور شد که اسم آن کار زمان شد؟

قرار بود آنجا دفتر مطالعات زنان شود و به همین دلیل به من سفارش کار دادند. یک دیوار ساختم به نام دیوار آفرینش و این مجسمه‌ی زمان را. هر دو با زن ارتباط پیدا می‌کردند. در آن مجسمه حرکتی هست که برای من زمان را نشان می‌دهد. در واقع سه زن هستند که در هم تنیده‌اند. بدنه‌ی اصلی کار نیم‌تنه‌ی یک زن در حال پرواز است. از بالا که نگاه می‌کنی فرم دیگری‌ست که دستانش تبدیل به بال شده‌اند. سوم، زنی‌ست که در یک پوشش درون حفره‌ای رو به رو نشسته است. اینها زن هستند چون من زنم وگرنه تو چیزی به عنوان فیگور زنانه نمی‌بینی. یک سمت مجسمه حرکتی نرم دارد، یک سمت کار خش‌دار است و این‌ها رد زمان در زندگی‌ست.

ابعاد کار هم نسبت به مجسمه‌های دیگرتان بزرگ‌تر است؟

بله، ابعاد آن بزرگ است و به تنهایی آن را با دستان خودم ساختم. فکر می‌کنم پررو بودم، هم بی‌تجربه وگرنه واقعاً این کار را باید با یک گروه

در حال نصب مجسمه‌ی زمان | باغ علا انجمن خوشنویسان | ۱۳۷۱
Le Jardin Alā (L'Association des Calligraphes d'Iran Andjoman-e Khoshnevisân-e Irân) | Installation de la Statue " Temps"
Ala Garden (Association of Calligraphers of Iran) | Installing Time | 1993

مجسمه‌ساز انجام مـی دادم ـ همان کاری کـه خیلی‌های دیگـر می کردند ـ منتها فکـر می کـردم باید دسـت‌های خـودم باشـد و در کوره‌ی خـودم پخته شـود. اول هم اندازه نگرفتـم که اصـلاً در کوره جـا می گیرد یا نـه. فقط هول کار کردن بـودم. بنابراین مجبور شـدم کار را نصف کنم و در چنـد مرحله بپزم که جالب شـد. قاعـده این بود کـه مثـل آدم فکر کنی و حسـاب کتـاب کنی، نه اینکه مثل مـن اول منار را بـدزدی بعد ببینی کجـا دفنش کنـی. کار که دو تکه شـد فکر کـردم چه طـور وصلـش کنم؟ بـه ایده‌ی لحیـم با قلع وسـرب رسـیدم. این کار را به کمک حمیـد حکیمی انجـام دادم، او می ترسـید که کار بشـکند من هم گفتم: «نترس! نمی‌شـکنه!» وما سـرب وقلـع داغ را ریختیم و این کار تـکان نخـورد. منتهـا زمـان کار خـودش را کـرد، ایـن کار در طول این سـال ها لایـه بـه لایـه در حـال از بیـن رفتن اسـت. مـن هم هیـچ بدم نمی‌آید. دفعـه‌ی آخـری که دیدمـش خیلـی جالب‌تـر از اولش شـده بود.

هیچ‌وقت برای کارهایتان از پیش طرح می‌زنید؟

طرح در ذهنم شکل می گیرد ولی طراحی هم می کنم. اما هنگامی که در آتلیه مشغول می‌شوم کار چیز دیگری می‌شود.

چطور کار با مواد دیگر را شروع کردید؟

احتیاج باعث شد مثل همه‌ی اختراعات. من اولین ماده‌ای را که بعد از سفال و سرامیک از آن استفاده کردم، به خاطر همین دیوارهایم بود. ناچار بودم وقتی با سفال کار می کنم، کاشی‌های کوچک بسازم تا کل کار به دست بیاید. سخت بود. تکه ها می‌شکستند، از بین می رفتند، گم می‌شدند، شماره گذاری آنها کار پیچیده ای بود. در نتیجه مرتب فکر می کردم که چه ماده‌ی دیگری می‌توانم جایگزین کنم که همین بافت را به من بدهد؟ چون گل ماده‌ای نوبل است، نجیب و قدرتمند. در آخر خمیر کاغذ را پیدا کردم که می‌توانستم همان بافتی را که از سفال می گیرم در آن هم به‌دست آورم. می‌تواند مسطح باشد، احتیاجی به کوره ندارد و می‌توان آن را یک تکه کار کرد.

در مترسـک‌هایتان تجربـه‌ی کار با مواد، به موادی دم‌دسـتی می‌رسـد و بسـیار متنوع می‌شـود. انتخاب این مـواد به خاطر موضوع مترسـک بود یـا اینکه انگیـزه‌ی اصلی شـما کار با این مـواد بود؟

خـود مـواد همیشـه نوعـی کنجـکاوی در مـن ایجـاد می‌کنـد وبـه مـن انگیـزه‌ی کار می‌دهـد. ولـی در مـورد مترسـک‌ها ایـده‌ی آنهـا بـاز از حرکـت کلاغ‌هـای صبـح زود وعصـر کـه دسـته‌ای حرکـت می‌کردنـد شـروع شـد. مرا بـه بچگـی‌ام بـرد، بـه مزرعـه و قـدم زدن کنـار پدربزرگـم و دیـدن ایـن مترسـک‌ها. وقتـی هـم شـروع بـه کار کردم بـدون آنکه فکـر کنـم ـ مانند کشـاورزی کـه یک مترسـک را از آت‌وآشـغال می‌سـازد ـ از هـر چیزی کـه در آتلیـه‌ام پیدا می‌شـد، آن‌ها را سـاختم. امـا مثلاً تـوری فلزی کـه روی مترسـک‌ها انداختـم، زمانی که بـه سـیمرغ فکـر می‌کـردم، شـد مـاده‌ی اصلـی کارم. معتقـدم که اینهـا هیچ‌کـدام اتفاقـی نیسـت.

چطـور بـه فکـر افتادیـد کـه مترسـک‌ها را در کویـر و دریاچه‌ی نمـک چیدمـان کنید؟

فکـر می کنـم همـه‌ی اینهـا از ناخودآگاهـم بیـرون آمـد. شـاید ایـن خالی بـودن و هیـچ بـودن، ایـن سـکوت برایـم جـذاب بـود. تجربـه ای کـه خـودم هـم در ایـن مناطـق داشـتم. وقتـی کـه در آن مناظـر قـرار گرفتنـد دیـدم کـه چـه پـر معنـا شـد داسـتان!

مترسک‌ها سمبل حضور انسان‌اند و از کاشت او محافظت می‌کنند، ولی مترسک‌های شما شخصیت‌های سمبلیک دارند و چون بسترشان هیچ است، از چیزی محافظت نمی‌کنند. دلیل انتخاب این مناظر خالی قدرت شخصیت آنهاست؟

نه، همه‌اش با هم آمده است. یعنی هیچ‌کدام از هم جدا نیستند. بر اساسِ چیزهایی‌که دور و برداشتم خودبه‌خود شخصیت آنها شکل گرفت مثلاً سر شیطان را از قبل داشتم. در ابتدا از برگ‌های درخت خرما شروع شد که مدت‌ها در آتلیه‌ام آویزان بودند و از دورکه نگاه می‌کردی مثل پاهای یک بالرین بود که روی هم افتاده تا اینکه موقعی دیدم اگر از طرف دیگر نگاه کنی چقدر شکل یک روباه است! بعد شخصیت‌ها خودشان یکی‌یکی آمدند. روباه را درست کردم، بعد شیطان را. برای اینکه شیطان را کامل کنم، یک فرشته ساختم. سر فرشته تنها سری بود که ساختم. مجسمه‌ی

بدون عنوان از مجموعه‌ی مترسک‌ها | ترکیب مواد، کلاژ | ۱۳۹۱
Sans Titre (Collection Epouvantail)
Untitled (Scarecrows Collection)
Mix media, collage
72 x 100 cm | 2012

جغد را هم داشتم وفکر کردم که سمبل خرد است پس آن هم اضافه شد. شخصیت ها شکل گرفتند. کویر هم خودش بود، فضای خالی که هیچ چیز در آن نیست. تنها مترسک‌ها هستند. هیچی نمانده باز تو مترسک بساز! حالا می‌خواهی چه‌کنی؟ بالاخره باید موجودی وجود داشته باشد که تو او را خطاب کنی؟ حالا نیست! حالا با تنهایی‌ات می‌خواهی چه‌کنی؟ این فکر هم بود. ولی از یک طرف هم در آخرین کارهایی که با عکس‌های مترسک‌ها انجام دادم دیدم چقدر زندگی شخصی خود من است!

کارهای خودتان را در ارتباط با دوره‌ای از تاریخ ایران می بینید؟

نه. ولی علت اصلی اینکه سرامیک را شروع کردم این بود که تحت تأثیر فرهنگ ایران بودم و در این آب و خاک، در خانواده‌ای به هم تنیده و بافرهنگ به‌دنیا آمدم. معلمم هم در پاریس به دلیل رنگ‌هایی که استفاده می کردم می گفت: دختر گنبدهای فیروزه‌ای!

خانه‌ای که در البرز مرکزی دارید فرم آن دیوارها و کتیبه ها را برایمان تداعی می کند. رد پای شما در طراحی آن کاملاً مشخص است. کمی از مراحل ساخته شدنش برایمان می گویید؟

قطعاً. معمارش هم به آن اذعان دارد و دلیلش را مجسمه‌ساز بودن من می‌دانست. به او گفتم: نمی‌خواهم خانه ام قوطی باشد. ضمن اینکه کوچک‌ترین صدمه‌ای به طبیعت نزند. دلم می‌خواهد کوه های آن سمت به خانه‌ی من بیایند واز خانه‌ی من عبور کنند وبه کوه های سمت دیگر برسند. یک کوه اضافه شود به بقیه‌ی کوه ها. همین هم شد. فرم سیال آن منحصربه‌فرد است.

خودتان را هنرمندی طبیعت گرا می‌دانید؟

بله، به شدت. استاد اصلی من طبیعت است.

در اغلب مجسمه‌های شما نوعی حرکت وجود دارد، حرکتی از جنس نیروی بیرونی، که گاهی فیگور ها با آن در تعامل‌اند وگاهی در تقابل. این نیروچیست؟

شخصیت خودم است. حال خودم است. این آتش و بادی‌ست که مدام درون من در غلیان است و بعد در کنار آب که قرار می‌گیرد یک جور خود را نشان می‌دهد، در کنار خاک یک جور و در کنار آتش و باد هم جوری دیگر. این یک رفت و آمد دائمی درونی و برونی ست.

چطور به این رسیدید که با تعادل فیزیکی در کارهایتان آن‌قدر بازی کنید؟ از مجسمه‌های خم شده‌ی در دوره‌های اول تا مجسمه‌ای که ایستایی‌اش از مفهوم فیزیکی به متافیزیکی تبدیل‌شده.

مجسمه‌ای که از آن صحبت می کنی یکی از فرشته‌های من است. به آن فکر نکردم. آن را ساختم. تنها چیزی که هست ممکن است در طول کار از لحاظ تکنیکی اتفاقاتی بیفتد که مجبور شوم کارهایی انجام دهم تا مجسمه را سر

فرشته | سفال لعابی | ۱۳۸۳
L'Ange | Céramique
Angel | Ceramic | 60 x 24 x 5.5 cm | 2004

پا نگه دارم. بعد از آنکه این کشمکش تمام می‌شود از درونش چیزی بیرون می‌آید که دور از انتظارست. انگار قرار بوده چنین بشود. در اینجا می‌توانی باور کنی که چیزی اتفاقی نیست. در دوره‌هایی از زندگی تنها با تکنیک‌های ذهنی می‌توانستم تعادل خود را در جامعه‌ای که کاملاً دستخوش دگرگونی بود، حفظ کنم. این‌ها در کارم خودش را نشان داده است بدون آنکه قصدی داشته باشم. تنها آنچه را زندگی کرده‌ام نشان می‌دهم.

سیمرغ همیشه در افسانه‌های ما موجودی عظیم‌الجثه است و گاهی مهیب. اما سیمرغ‌های شما سبک، کوچک و شفاف‌اند. باز قاصدک‌های شما صلب و انعکاس دهنده‌اند برعکس آنچه در طبیعت می‌بینیم که سبک و نفوذپذیرند. دلیل انتخاب شما برای این مواد چه بود؟

در این مورد، یعنی سیمرغ، قبل از شروع کار، خیلی به آن فکر کردم. طراحی‌ها و اتودهای مختلف زدم. زمانی که دعوت شدم به دانشگاه لاهور بهترین موقع بود برای ساختن سیمرغ. بیشتر راجع بهش خواندم. از تعریف‌های سیمرغ این بود که در هر جایی که او بالش را باز کند با خود صلح وعشق وصفا می‌آورد. فکر کردم: چقدر خوب است که من به عنوان یک ایرانی، یک فارسی‌زبان، این را ببرم در سرزمینی که از طالبان آزار می‌بینند و دردمندند. در این سفر یک سازمان فرهنگی مرا دعوت کرده بود ودر نتیجه پولی برای کمک به این کار به من داده نمی‌شد. مجبور بودم مجسمه را باخودم ببرم، پس باید سبک می‌بود. یاد تورفلزی که در مترسک ها کار کرده بودم افتادم. این را هم بگویم که پرنده برایم سبک است، حالا می‌خواهد سیمرغ باشد یا قناری. به دنبال روح پرواز هستم. سیمرغ ناجی بود و وقتی که تو از هفت وادی بگذری خود به خود به صلح می‌رسی وبعد هم نور. نوری که سیمرغ ایجاد می‌کند. ایرج، آن موقع که با سرامیک‌هایم پایه‌ی چراغ درست می‌کردم، می‌گفت: «تو دنبال نور هستی و به آن می‌رسی». این نور بالاخره درسیمرغم آمد، وقتی چراغ‌های کوچک خاموش و روشن می‌شد شما فکر می‌کردید که این پرنده در حال پرواز است. قاصدک‌ها هم باز چنین مسیری را طی کردند، می‌خواستم با نور کار کنم و به دنبال موادی می‌گشتم که نور را به واسطه‌ی آن چیدمان کنم، کمی هم در تردید بودم چون دیگر به موضوع نمایشگاهم نمی‌خورد. در گوشه‌ی مغازه‌ای در بازار چشمم به صفحه‌های قلع خورد. همان‌جا تصمیمم عوض شد. وقتی این صفحه ها را بیرون کشیدم به شهروز صدر که همراهم بود گفتم: ببین! اصلاً این کار خود من است! من در آن لحظه به معلق بودن قاصدک‌ها فکر کردم و فرم و انعکاس آنها. اما قاصدک که ظاهراً خیلی سبک است در عین حال پر از انرژی‌ست. برای اینکه پیش هرکس برود یک سری آرزو را بار آن می‌کنند پس خیلی هم سبک نیست. و این را روی تک مجسمه‌ی قاصدک نشان داده‌ام.

سیمرغ | فلز و نور | ۱۳۸۸
Simorgh | Métal et lumière
Simorgh | Metal and light | 75 x 50 x 50 cm | 2009

یک مجسمه دارید که از یک نیمرخ فرم محکم واستواری دارد از طرف دیگر شانه اش خم است و فرمی نحیف دارد.

بله، یک زن کوچک است که سرش خالی ست، مثل یک ناودان. اسم این کار هست به سمت آزادی.

اسمش را نمی دانستم، از یک طرف محکم و پر

قـــدرت از یـــک طـــرف خســـته ودردمنـــد.

ایـن درسـت در زمانی‌سـت کـه مـن نمی‌دانسـتم کـه مـی خواهـم زندگـی زناشـویی‌ام را ادامـه بدهم یـا نه. جلـوی شـومینه نشسـته بـودم، در یکی از کنده‌هایـی کـه در حـال سـوختن بـود، ایـن فـرم را یافتم. کمـی تحمل کردم ولی دیـدم نمی‌توانـم ازش بگـذرم. کشـیدمش بیـرون و رویش آب ریختم. خیلی شـکننده بـود... بـدن ایـن زن درآمده بـود. همه چیـز با هم در ارتباط اسـت! چطور مـن خـودم را در این کنده کـه در حال سـوختن بود دیدم، با تمـام حالاتی که داشـتم! فردای آن روز مجسـمه را سـاختم و این شـروع خیلـی خوبـی بود.

کارهای خودتان را روی بوم نقاشی می‌دانید؟

بله. خیلی‌هـا می گوینـد این نقاشـی نیسـت نقش برجسـته اسـت. فرقی برایم نمی کنـد، هرچـه می‌خواهند اسـم آن را بگذارند. مسـئله این‌اسـت که بالاخره یـک پارچه و بومـی در زیـر کار وجـود دارد. در ضمن نقاشـی از نقـش انداختـن می‌آید.

اصلاً چرا به سمت نقاشی رفته اید؟

کنجکاوی‌هـای خـودم. از طریـق همیـن کنجکاوی‌هـا شـناخت زیـادی از خـودم و جریـان هسـتی در اطرافـم پیـدا می کنـم. بـی بـرو برگـرد مـاده‌ی اول مـن گل اسـت. ایـن را متوجـه شـده‌ام. درمجموعـه‌ی کمـی هـوای تـازه در وسـط رنـگ وروغـن بـاز خـط باریکـی از گل وجـود دارد.

بـا تجربـه‌ی مدیـوم هـای مختلـف، فکـر نمی کنیـد مخاطبانتـان را از دسـت بدهیـد؟

نـه. هیـچ وقـت بـه بـازار فکـر نکـرده ام. همیشـه خواسـته‌ام بـه کنجکاوی‌هایـم پاسـخ دهـم. بـرای اینکـه اولاً چیـزی کـه برایـم در هنـر مهـم هسـت، آزادی‌ای اسـت کـه یـک هنرمنـد بایـد داشـته باشـد و اینکـه آن‌قـدر دیگـران او را محـدود نکننـد. اگـر یـک کار در دنیـا بایـد آزاد باشـد ایـن هنـر اسـت، چـه شـاعر، چـه نقـاش، چـه نویسـنده، چـه موسـیقی‌دان ایـن یکـی را لااقـل بگذاریـد آزاد بمانـد. ولـی می‌بینـی کـه بـازار آزادی هنـر را هـم گرفتـه اسـت.

فکر می کنید که همین مسیر نقاشی را ادامه بدهید؟

نمی‌دانم. مـن الان یکـی از چیزهایی کـه خیلی دلـم می‌خواهد بسـازم با فلز اسـت. موقعی ماده خـودش به مـن ایده می‌دهـد، موقـع دیگر ایده ای‌اسـت که تـو را هدایـت می کند که چـه مـاده‌ای را انتخـاب کنی.

هیچ وقت دغدغه‌ی این را داشته اید که اقلیم را در کارهایتان نشان دهید؟

هنری که ارتباطش کاملاً با احساسات وعواطف و روح یک انسان حساس است فراتر از مرزهای جغرافیایی‌ست که پشت آن سیاست و بازار خوابیده است. آیا غم یا شادی اروپایی، آفریقایی، آمریکایی دارد؟ درد بشر درد بشر

به سمت آزادی | مفرغ | ۱۳۸۷
Vers la liberté | *Towards Freedom*
(On the path to Freedom)
Bronze | 27 x 9 x 8 cm | 2008

است. ولی خودبه‌خود وقتی در مکانی زندگی می‌کنی این اتفاق به‌نوعی تجلی پیدا می‌کند. اما مادامی که تو این را هدف قرار می‌دهی کار تو تبدیل به صنایع دستی می‌شود.

دوره‌ی هشتم بی‌ینال سفال وسرامیک دبیر بی‌ینال بودید. خودتان این تصمیم را گرفتید یا به شما پیشنهاد شد و قبول کردید؟

چندین سال به خاطر اختلافاتی که بین یک سری استاد سفالگر و شاگردان آن‌ها وجود داشت بی‌ینال به تأخیر افتاده بود، تا جایی که یادم می‌آید شورایی تشکیل شد تا بتوانیم قضیه را طوری حل کنیم. سعی کردم بین این گروه ها میانه‌رو باشم. بعد از آن از موزه و همین‌طور چند تن از استادان تماس گرفتند و خواهش کردند که برای دبیری بی‌ینال کاندید شوم. نمی‌خواستم قبول کنم چون فکر می‌کردم نمی‌توانم از پس آن بر بیایم. اما سرانجام پذیرفتم.

دغدغه‌ی خاصی هم در اجرای بی‌ینال داشتید؟

خیلی سعی کردم که برابری را نگه دارم با در نظر گرفتن اینکه چه کاری بارزتر است. یکی از چیزهای دیگری که به آن ارزش دادم، ارزش هنری کارها بود.

منظورتان از ارزش هنری چیست؟

مثلاً هنرمندانی را در نظر بگیریم که چیدمان کار کرده بودند. فکر جدیدی پشت کار بود. چاره ای نبود جز آن که برای آن‌ها بیشتر ارزش قائل باشم. بعدا به من خرده گرفتند که: شما این ارزش را داده ای! و من می گفتم: خود کار این ارزش را داشت. مثلاً هنرمندی صد تا دویست تا ماهی رنگارنگ درست کرده وبا زیبایی آنها را روی پایه هایی نصب کرده بود. اسم کار هم بود ماهی سیاه کوچولو. با پنکه ای که در گوشه ای می چرخید، گویی اینها در دریا در حال حرکت اند. خب خود کار آن‌قدر مهم بود که لازم نبود من به آن اهمیت بدهم! خیلی از کارها بدین شکل بود.

معتقدید توجه سایرین بیشتر به تکنیک بود و کمتر به ایده؟

نه. سعی کردم که خیلی دقیق این کار را انجام دهم. همه‌ی کارهایی که در نظر گرفته بودم هم از لحاظ تکنیک بررسی شده بود هم از لحاظ ایده. در مورد تکنیک آدم سخت‌گیری هستم. نمی‌خواستم چیزی از زیر چشمم رد شود که آن را قبول ندارم. مسئله این بود.

در آتلیه‌تان سال‌ها دوره‌های مختلف برگزار کردید، تدریس را بازدارنده می‌دانید یا پیش‌برنده؟

بازدارنده نبود. تنها، جایی، دیگر نتوانستم از نظر جسمی ادامه دهم. بعد از اینکه دوره‌ی کلاس‌های تابستان تمام می‌شد و بچه‌ها می‌رفتند می‌دیدم که خود من هم از آن‌ها ایده گرفته‌ام. بس که آن‌ها خالص بودند. اما کلاس‌هایی که در زمستان برای بزرگسالان می‌گذاشتم، در دوره‌ی کاری

خودم بود و برایم سخت بود. محدودیت جا داشتم، به علاوه، زمانی که در حال کشف هستی احتیاج به خلوت خودت داری.

کارهای شاگردهایتان را به خودتان شبیه می‌دانی؟

بعضی از آن‌ها شبیه‌اند، بعضی هم نه.

درباره‌ی متشابه یا متفاوت بودن کارهای شاگردانتان با آثار خودتان چه نظری دارید؟

معمولاً برای کسی که اشتیاق کار داشت ارزش قائل می‌شدم. یکی از شاگردهایم که کماکان با جدیت در خارج از ایران فعال است، برایم عکس‌های کارش را فرستاد و از من نظر خواست. همچنین عذرخواهی کرد که کارهایش به من شبیه است. به او گفتم: که اصلاً مهم نیست، تو حتماً زبان خود را پیدا می‌کنی. بعضی موقع‌ها این تأثیر اجتناب ناپذیر است. با این حال همیشه ردی از آن تأثیر در کارهایت خواهد بود. باتوجه به اشتیاق و رابطه بین شاگرد و معلم این خود وصل بودن است.

هیچ‌وقت پیشنهاد تدریس در دانشگاه را داشته‌اید؟

بله. گفتند: ترم آخر بچه‌های لیسانس را بگیرید و این‌ها را جمع‌وجور کنید! من هم گفتم: اگر دو ترم را در اختیار من می‌گذارید که من از جایی شروع کنم و آنها را به مرحله‌ای برسانم حاضرم، که دیگر پیگیری نکردند، من هم اصرار نداشتم.

در نقاشی‌هایتان، مخصوصاً در دوره‌های آخر، خط‌های محکمی وجود دارند که شکاف دهنده‌اند، این خط‌ها از کجا می‌آیند؟

نمی‌دانم. خط را دوست دارم، چه در تعریف هندسی و چه در خطاطی که خطی شاعرانه است. اینها باید روزی خود را نشان می‌دادند.

یکی از هنرمندانی که قبلاً راجع بهش با هم حرف زدیم روتکو است. کارهایش و شیوه‌ی زندگی‌اش. تأثیری از او در کارهایتان می‌بینید؟

بله. از نوجوانی شیفته‌ی روتکو بودم. وقتی حرفه‌ای‌تر شدم بیشتر مریدش شدم. تأثیری که من از روتکو گرفتم در دوره‌ی مجموعه‌ی کمی هوای تازه مشخص شد. بعد از آن که کارها تمام شد، متوجه شدم. نمایشگاه‌هایی که در آن دوره در شهر می‌دیدم، همه‌شان پر از شلوغی، پر از هذیان و اضطراب بود. بیرون که می‌آمدی اجتماع پر از سختی بود. در اخبار، تمام دنیا در دیوانگی بود. این‌ها خفه‌ام می‌کرد. من فکر می‌کنم که هنرمند خبرنگار نیست که اخبار روز را وارد کار خود کند. نه آنکه متأثر نباشد اما لزوماً اینکه همان چیزی را که می‌بینیم و می‌شنویم را بکشیم، کار مهمی نکرده‌ایم. در آن زمان مشغول آماده کردن کارهایم برای نمایشگاهی در گالری اعتماد بودم و روزی بی اراده در آتلیه شروع به این کارها کردم که اولی آن

قرمز بود. یکی از دوستانم تابلو را دید و گفت: «خیلی جرئت می‌خواهد که الان این کارها را نشان بدهی!»

از چه نظر این را می‌گفت؟

برای اینکه از نظر او من هیچ کاری نکرده بودم. یک سری رنگ‌های قرمز و نارنجی را در کنار هم گذاشته بودم. یادم است نقاشی‌ام که تمام شد گفتم: آخیش! کمی هوای تازه! و این شد عنوان نمایشگاه.... من به دنبال کمی هوای تازه می‌گشتم.

یعنی حسی شبیه به روتکو برای تصمیم به کشیدن سطوح رنگی‌اش؟

از انگیزه‌ی روتکو خبری ندارم ولی به نظرمی‌رسید که او به قدرت رنگ دست یافته است؛ نه خطی و نه طرحی.
در اصل این کشف و شهود یک هنرمند است. خود او قطعاً از این مسئله دچار شعف شده بود. من هم وقتی رنگ‌های قرمز را کنار هم گذاشتم این شعف بهم دست داد. من از یک دوران شلوغ، چه در کارهایم وچه در بیرون، به این حال رسیدم.
نکته‌ی جالب دیگری که روتکو برایِ من دارد سه تابلوی آخر اوست که برای کلیسایی انجام می‌دهد. یک بافت تماماً سیاه. این شجاعت را تحسین می‌کنم.

کدام دوره‌ی کاری خودتان را بیشتر از بقیه دوست دارید؟

نمی‌توانم بگویم. دوره‌ی اول سرامیکم را خیلی دوست دارم. مجموعه‌ی اخیرم هم که اسمش را روشنایی گذاشته‌ام (مجموعه‌ی مترسک‌ها و قاصدک‌ها) را در حال حاضر بیشتر دوست دارم. ولی واقعاً تو چطور می‌توانی بین بچه‌هایت یکی را انتخاب کنی؟ هر چند که من یک فرزند بیشتر ندارم.

قرمز و نارنجی | مارک روتکو
Rouge et Orange | Red and Orange | Mark Rothko |

خط زمان (مجموعه‌ی کمی هوای تازه)
رنگ روغن و ترکیب مواد | ۱۳۹۰
La ligne du temps (Collection Un peu d'Air Frais
Huile et Mixed Media
Time Line (A little Fresh Air Collection)
Oil and mixed media | 180 x 120 cm | 2011

سفال لعابی

آتلیه‌ی تجریش | تهران | ۱۳۶۸

Atelier à Tajrish | Téhéran | Tajrish Studio | Tehran | 1989 |

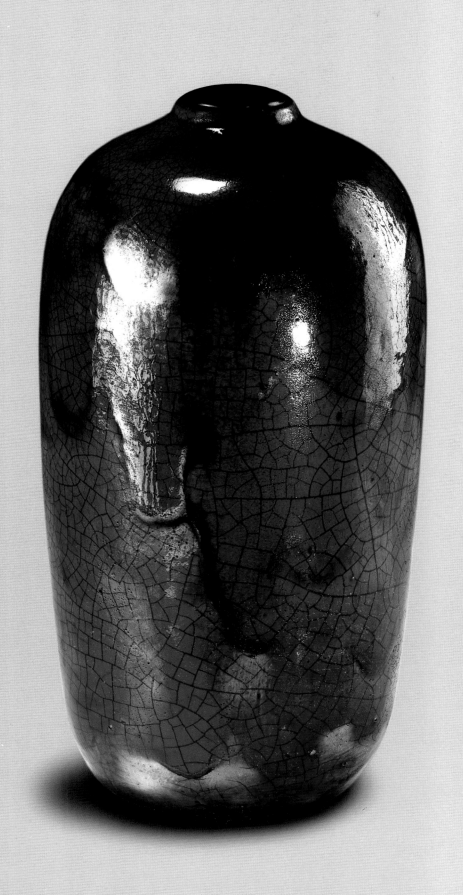

>> فیروزه ۱ | سفال لعابی | ۱۳۶۴
"Turquoise 1" | Céramique | Ceramic | 24 x 12 cm | 1990

>> فیروزه ۲ | سفال لعابی | ۱۳۶۹
"Turquoise 2" | Céramique | Ceramic | 14 x 12 cm | 1986

> شب | سفال لعابی | ۱۳۶۶
La Nuit | Céramique
"The Night" | Ceramic | 50 x 5 cm | 1987

∨ گلابی | سفال لعابی | ۱۳۶۴
Poire | Céramique
"Pear" | Ceramic | 26 x 21cm | 1985

∨ بدون عنوان | سفال لعابی | ۱۳۶۴
Sans titre | Céramique
Untitled | Ceramic | 12 x 12 cm | 1986

پری ۱ | سفال لعابی | ۱۳۷۸
Fée 1 | Céramique | ¨Fairy 1¨ | Ceramic | 32 x 6 cm | 1999

کاسه | سفال لعابی | ۱۳۸۰
Bol | Céramique | Bowl | Ceramic | 8 x 22 x 20 cm | 2001

‹ گلدان آبی | سفال لعابی | ۱۳۷۱
Vase bleu | Céramique | Blue vase | Ceramic
20 x 20 x 9 cm | 1992

کاسه | سفال لعابی | ۱۳۸۰
Bol | Céramique | Bowl | Ceramic
23 x 20 x 22 cm | 2001

هنر یا صنعت

کریم امامی

نویسنده، منتقد هنری و مترجم

تجریش، ۱۳۷۲

سفالگری هنر است یا صنعت؟ و مقصود از صنعت صرفاً کار ماشینی نیست، توانایی تولید کالاهایی است با دست یا ماشین، به تعداد زیاد، برای فروش در بازار، با قابلیت تکرار تولید همان کالا هرگاه سفارش جدید برسد. سازنده نیاز به مهارت و دانش فنی دارد ولی الزاماً نیاز به قریحه‌ی هنری ندارد. دست صنعتگر کار می‌کند، ذهنش مراقب است که دست خطا نکند و شکل ظرفی که روی چرخ کوزه‌گری درگردش است طبق الگو از آب در آید؛ بعد لعاب همه جای ظرف را درست بپوشاند؛ حرارت کوره به اندازه باشد، ظرف در کوره همانقدر که تجربه معلوم کرده است لازم است بماند و بعد به کندی خشک شود. همه‌ی این نکات را سفالگران لالجین و شهرری و هرکجای دیگر، که قرن‌هاست ظرف‌های سفالی بی‌لعاب و با لعاب می‌سازند، می‌دانند. هرچند بهترین کارهای آنان از آثار هنری به شمار می‌رود، اما سفالگر سنتی خودش را هنرمند نمی‌خواند؛ صنعتگر است و بس. ادامه‌دهنده‌ی راهی‌ست و روزی که محصولش به فروش نرسید و ظرف پلاستیکی سرخ جای کاسه‌ی کاشی آبی را گرفت با تأسف با سفالگری وداع می‌کند و به کار دیگری می‌پردازد. نمایشگاه حاضر نمایشگاه سفال است ولی نمایشگاه سفالگری سنتی نیست. مریم سالور از ظرف‌های سفالی استفاده می‌کند تا آثار هنری پدید آورد. همچون بوم و رنگ برای یک نقاش. چند سالی است که شاهد کار و کوشش مریم هستم و با خوشحالی می‌بینم که در هر نمایشگاه جدید از نمایشگاه قبلی خود موفق‌تر است. اول که تکنیک را درفرانسه آموخته بود تا مدتی وقتش صرف آزمودن همان آموخته‌ها در شرایط ایران می‌شد، و البته به مراکز سفالگری سفر می‌کرد و با استادکاران محلی و مواد و مصالحی که به کار می‌بردند آشنا می‌شد. بعد در خانه‌اش کارگاهی برپا کرد و کوره زد و جدا به کار پرداخت و البته، رفع مشکلات و معایب کوره و پخت مدتی طول کشید. بعد آنقدر اعتمادبه‌نفس پیدا کرد که نمایشگاه بگذارد.
در اولین نمایشگاه دیدیم بر تکنیک مسلط است ولی جرئت دور شدن از فرم‌های کلاسیک را ندارد. همه‌چیز دایره و کره و استوانه و مخروط است. همه‌رنگ‌ها یکدست و قشنگ است و درست همانطور است که یک سفالگر ماهر با استفاده از بهترین مصالح پدید می‌آورد. و حالا، چند نمایشگاه بعد، می‌بینیم اعتماد و اعتقادش به کاری که انجام می‌دهد چنان زیاد شده که آزادانه فرم‌ها را می‌شکند، رنگ‌ها را مخلوط می‌کند و تکنیک را در خدمت مقاصد هنری به کار می‌گیرد. این درست همانطور است که باید باشد. مریم سالور به پختگی و آزادی بیان رسیده است و از این نقطه به بعد با ابزارش هر چه بخواهد می‌کند. او حالا دیگر هنرمندی‌ست که زبان خود را یافته است.

گلدان | سفال لعابی | ۱۳۷۶
Vase | Céramique | Ceramic | 26 x 26 cm | 1997

«آتلیه‌ی تجریش | تهران | عبدالله مهری، مریم سالور | ۱۳۶۸

Atelier de Tajrish | Téhéran | Tajrish Studio | Tehran | Abdullah Mehri - Maryam Salour | 1989

بدون عنوان | سفال لعابی | ۱۳۷۸

Sans Titre | Céramique | Untitled | Ceramic | 8 x 40 cm | 1999

مه بانگ شماره‌ی ۳ | ۱۳۷۸

Le Big Bang No. 3 | Céramique | "The Big Bang, No.3" | Ceramic | 18 x 38 cm | 1999

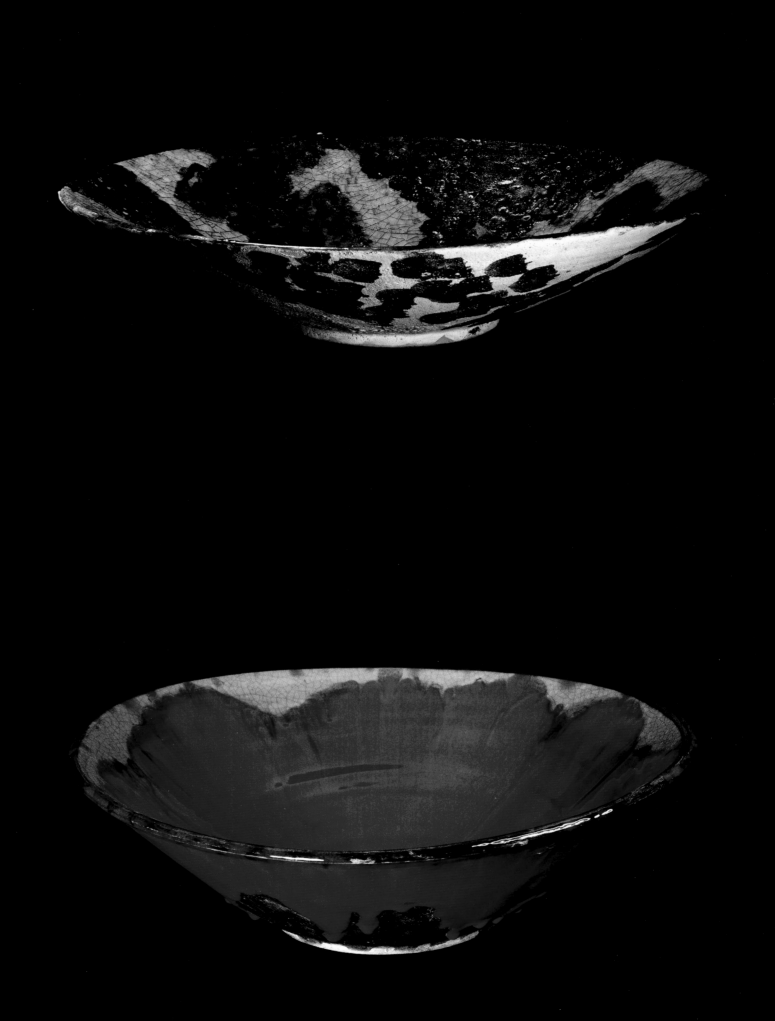

مِه‌بانگ شماره‌ی ۲ | سفال لعابی | ۱۳۷۸
Le Big Bang No. 2 | Céramique | ¨The Big Bang, No. 2¨ | Ceramic | 8 x 40 cm | 1999

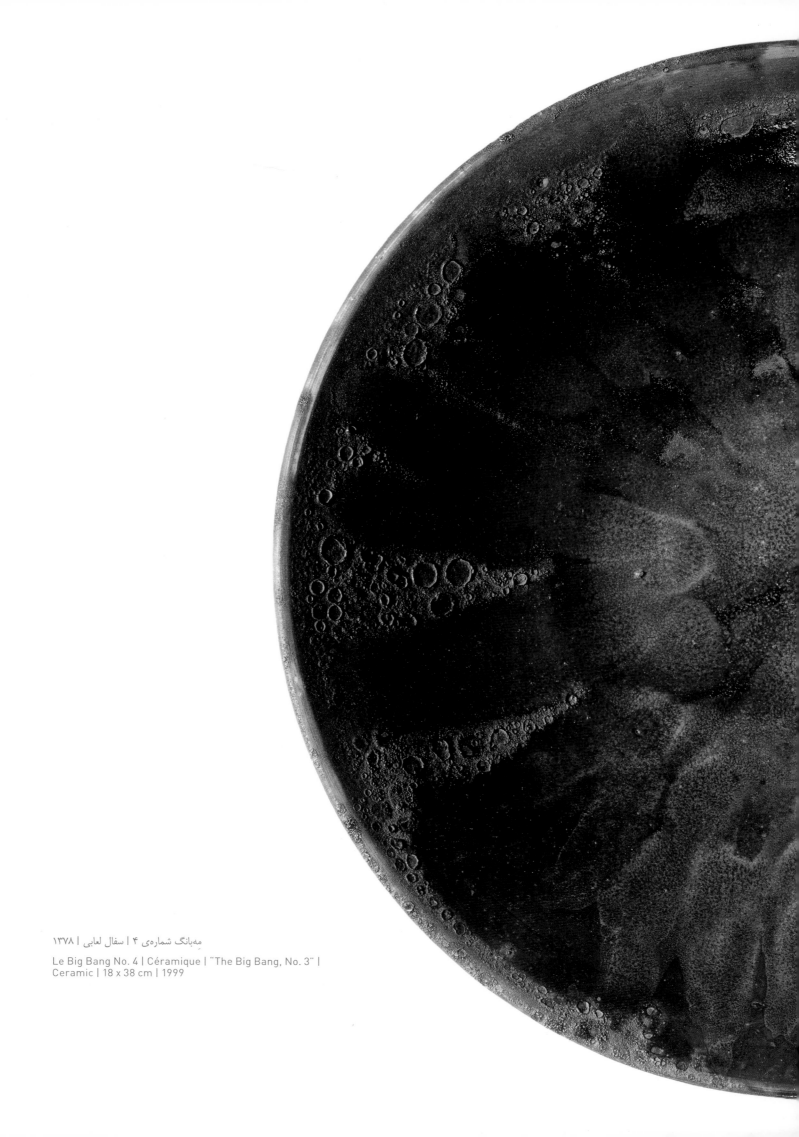

مِه‌بانگ شماره‌ی ۴ | سفال لعابی | ۱۳۷۸

Le Big Bang No. 4 | Céramique | "The Big Bang, No. 3" |
Ceramic | 18 x 38 cm | 1999

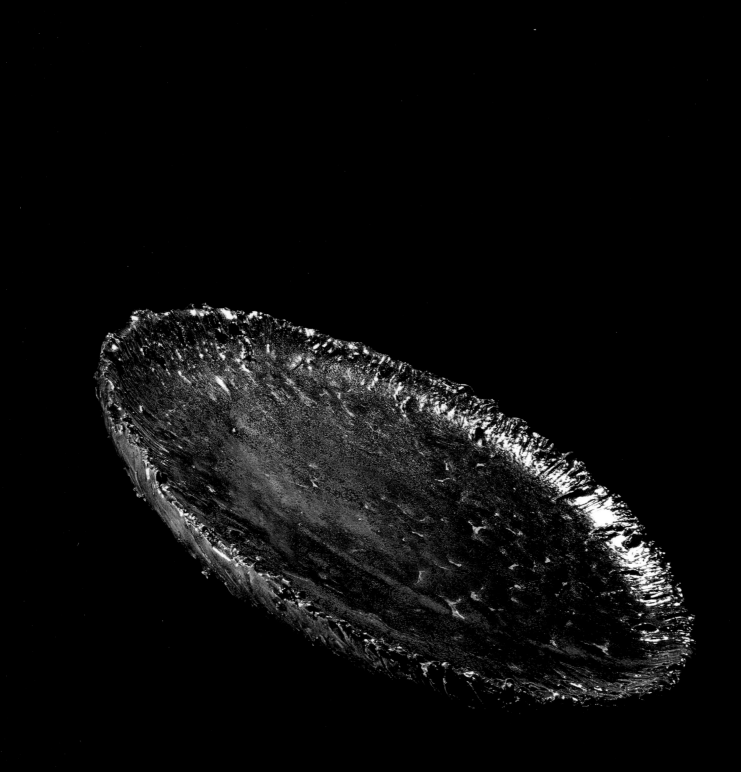

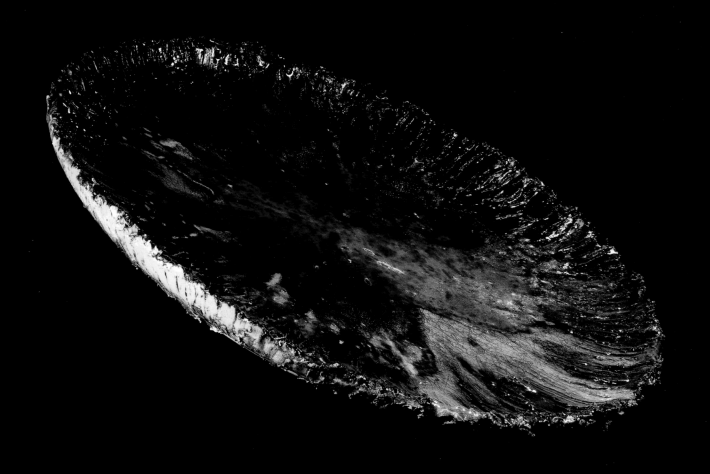

کهکشان شماره‌ی ۱ | سفال لعابی | ۱۳۷۸

La Galaxie | Céramique | *Galaxy* | Ceramic | 55 cm | 1999

گلدان | سفال لعابی | ۱۳۷۱

Vase | Céramique | Ceramic | 26 x 26 cm | 1992

نمایشگاه انفرادی در گالری گلستان | از چپ به راست: لیلی گلستان، مریم سالور، عباس کیارستمی | ۱۳۷۰

Exposition Individuelle, Galerie Golestan / Solo Exhibition, Golestan Gallery | De gauche à Droite / From Left to Right: Lili Golestan, Maryam Salour, Abbas Kiarostami | 1991

روشنایی | سفال لعابی | ۱۳۷۳
Luminescence | Céramique | Luminance | Ceramic | 55 cm | 1994

Art or industry

Karim Emami
Author, art critic and translator
Tadjrish 1993

Is pottery an art form or an industry? By industry I do not necessarily mean machine- or factory-driven production, but the capacity to produce and re-produce an object, a commodity, by hand or with a machine, in large numbers, to be sold in a market.

The producer must possess technical knowledge but she need not possess artistic sense. The hands of an artisan move with dexterity, her mind mindful of her hands, for the shape of the lump of clay on the potter's wheel to reproduce the vase according to a particular design. She must be careful when applying the glaze not to miss a spot, to keep the kiln temperature steady, to eye the clock, and to let the pot cool down gradually when removed from heat. A potter coming from such traditions as Lalehjin or Rey has known these techniques for centuries. Even though her best can be considered a work of art, a potter following time-worn techniques will never call herself an artist. She is an artisan and nothing more. She is just following a long-standing lore, and if one day her artifacts are not sold because people prefer bright red plastic bowls, she will say goodbye to her wheel and do something else.

The show before you is an exhibition of works of pottery but it is not a traditional one. Maryam Salour makes pottery to create works of art. Glaze, color, and clay are tools to express her emotions, much like what canvas and color are to a painter. I have witnessed her work over the years and I am delighted that with every show she is more successful. Having studied in France, she spent time experimenting with techniques she had picked up in the new context of Iran. She traveled to places where pottery had a long-standing presence, getting to know local masters, and familiarizing herself with the material and tools they used. She then set up a studio at her house, built a kiln, and worked by herself. It took some time to streamline the process, and then she gained so much confidence in her métier that she took her works to galleries.

In her early exhibits, Maryam Salour did not depart from classic forms, and stuck to familiar circular, spherical, cylindrical, and pyramidal shapes. All colors were evenly applied and pleasant to behold, much like what a painter does with canvas and oil. Now, several exhibits later, we see that she has developed so much confidence in her skills that she can break free of forms, mix colors, and bring technique to the service of her artistic practice. This is how it is supposed to be done.

Maryam Salour has reached maturity and gained freedom in her expression and from here on she will do as she wills with her tools. She is an artist who has found her language.

گلدان | سفال لعابی | ۱۳۷۹

Vase | Céramique | Ceramic |
20 x 20 x 8 cm | 2000

Art ou industrie

Karim Emami
Auteur, critique d'art et traducteur
Tadjrish 1993

La céramique est-elle un art ou une industrie? Pour ma part, "industrie" ne signifie pas nécessairement production mécanique en usine, mais la capacité de reproduire un objet en grand nombre, manuellement ou mécaniquement en séria, en vue de le vendre sur un marché.

Le producteur doit avoir des connaissances techniques, mais il n'est pas nécessaire qu'il ait une sensibilité artistique. Les mains de l'artisan bougent avec dextérité, il les surveille, afin que la pièce d'argile sur le tour du potier se transforme en vase conformément à un dessin particulier préalable. Quand il applique l'émail, il doit faire attention à ne pas manquer le moindre recoin. Il doit veiller à ce que la température du four reste constante, il doit faire attention au temps qui passe, s'assurer que le pot se refroidisse peu à peu à sa sortie du four. Les potiers ancrés dans les traditions qui se perpétuent dans des centres artisanaux comme Lalejin ou Rey maîtrisent ces techniques depuis des siècles. Bien qu'il arrive que leurs produits atteignent le niveau d'un objet d'art, les potiers qui suivent les chemins battus de l'artisanat traditionnel n'aspirent jamais à être considérés comme des artistes. Ce sont des artisans, sans plus. Si un jour leurs produits ne se vendent plus parce que les consommateurs préfèrent des bols en plastique rouge, ils diront au revoir à leurs tours de potiers et feront autre chose.

L'exposition que vous visitez comprend des pièces de céramique, mais elle n'a rien de traditionnel. Maryam Salour fait de la poterie pour créer des œuvres d'art. L'émail, la couleur et l'argile sont des moyens par lesquels elle exprime ses émotions. Elles représentent ce que la toile et les couleurs sont pour un peintre. Je suis témoin de son activité artistique depuis des années et me réjouis que chacune de ses expositions lui assure un succès plus grand que la précédente. Après ses études en France, elle a expérimenté des techniques trouvées dans le contexte nouveau de l'Iran. Elle a entrepris des voyages dans des villes de province qui avaient une longue tradition de poterie et céramique afin de faire la connaissance des maîtres traditionnels locaux et apprendre leurs secrets. Ensuite, elle créa chez elle un studio, se construisit un four et se mit à travailler seule. Rationnaliser le processus de création prit du temps avant d'acquérir la confiance suffisante pour exposer ses œuvres dans les galeries. Dans ses premiers travaux, Maryam Salour ne s'écartait pas des formes classiques et créait des objets circulaires, sphériques, cylindriques et pyramidaux. Les couleurs, jolies à regarder, étaient appliquées uniformément un peu comme ce que fait le peintre sur ses toiles. Maintenant, après de multiples expositions, confiante dans son talent, elle se sent libre d'aller au-delà des formes habituelles, de mélanger les couleurs, et de mettre sa technique au service de sa pratique artistique. C'est précisément le but recherché.

Maryam Salour a atteint la maturité et gagné sa liberté d'expression. A partir de maintenant elle maîtrise ses outils qui sont au service de son art. C'est une artiste qui a trouvé sa langue.

شقایق‌های دره‌ی لار | هشتمین بی‌ینال سفال و سرامیک | فرهنگستان صبا | سفال لعابی | ۱۳۷۵

Coquelicots de la vallée de Lar | Centre Culturel Saba | Céramique
Lar Valley Poppies | Saba Cultural Center | Ceramic | 2006

شقایق‌های دره‌ی لار | سفال لعابی | ۱۳۹۳
Coquelicots de la Vallée de Lar | Céramique | Lar Valley Poppies | Ceramic | 2014

گلدان (از مجموعه‌ی چهارباغ) | سفال لعابی | ۱۳۸۱

Vase (Collection Tchahar-Bagh) | Céramique | *Vase (Chahar-Bagh* Collection) | Ceramic |
40 x 30 cm | 2002

Objets en Céramique
Ceramic Objects

مجسمه

سمفونی پرواز

روز و شب

عشق

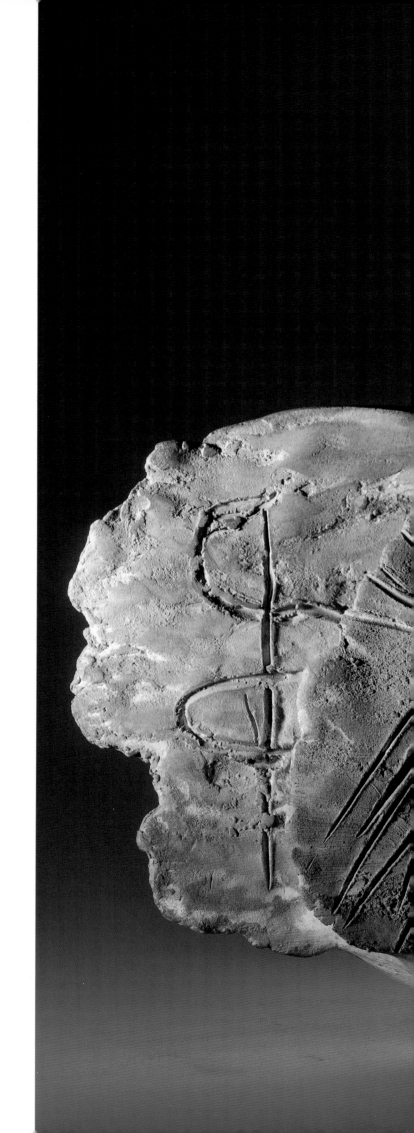

پرنده | سفال رنگی | ۱۳۷۲
L'Oiseau | Terre Cuite Colorée
Bird | Colored earthenware |
17 x 32 x10 cm | 1993

از پنجره‌ی کارگاهم آسمان و نور غروب و تاج درختان کاج همسایه را می‌بینم
و صدای پرندگان و آن طوطی‌های غوغاگر
که از یافتن تخم کاج جیغ می‌کشند
چاره‌ای نداشتم که پرنده بسازم
پرنده‌هایی که به زمین نشسته بودند،
در آرزوی پرواز
خیره به آسمان

پرنده | سفال لعابی | ۱۳۷۲

L'Oiseau | Céramique | Bird | Ceramic | 19 x 28 x 10 cm | 1993

‹ پرنده | مفرغ | ۱۳۷۳

L'Oiseau | Bronze | Bird | 19 x 28 x10 cm | 1994

دست برای دیدن

آن فرانسواز پوترا

هنرمند

تهران، بهار ۱۳۷۲

قطعات سرامیک مریم سالور همزمان هم تندیس‌هایی از هنر ناب است و هم اشیایی است که کاربرد روزمره دارد. جاذبه‌ای که از ارتباط رنگ‌های پرشور ایجاد شده چشم بیننده را به سفری آرام و دلپذیر و درعین‌حال پر شر و شور دعوت می‌کند، که همانا بیانگر نوسان‌های زندگی یک روح خلاق است.

چشم در برخورد انفجارآمیز قرمز و زرد غرق می‌شود آرامش آبی پایداری نمی‌شناسد زیرا آشفتگی و طوفان دور نیست. این سفر بیننده را به سوی دنیای شاعرانه‌ی مریم سالور دعوت می‌کند.

فرم نهان شده در پشت توازن رنگ‌های تیره و روشن (یین و یانگ) پرده از راز وجود یک پرنده برمی‌دارد؛ پرنده‌ای که نمایانگر عطش آزادی و نیاز سیری‌ناپذیر برای فتح دنیاهای ناشناخته‌ی دور و تخیلی است. پرنده‌ای که زمانی از خود بی‌خود مستانه پرواز می‌کند و زمانی در برابر نمایش غم‌انگیز میله‌های فلزی قفس گریان است. پرنده در قالب یک مثلث، جوهر زنانه‌ی هنرمندان را به یاد می‌آورد. آوای حضور زنانه‌ی او را نجوا می‌کند و زمزمه‌ی ناامیدی در امیدها و امید در ناامیدی‌ها را.

پرنده، زن، با ظرافت فریادی خشم‌آلود را به رنگ قرمز به نمایش می‌گذارد....

و برای پرواز بعدی به سرزمین‌های رؤیا، شعر و خلاقیت با طراوت آبی بال خود را نوازش می‌کند.

مثلث مقعر به آوندی از باروری مادرانه و عشق بی‌قید و شرط دگردیسی می‌یابد.

آثار این بانوی جوان از یک سو به سبب جوهر زنانه و اشاره به فرم «زن- پرنده» و از سوی دیگر به‌خاطر مواد استفاده شده (خاک و رنگدانه) که سرچشمه‌ی زمین مادر است، یادآوری تمدن‌های باستان است که در آن الهه‌ی مقدس مورد پرستش قرار می‌گرفت.

زن در خود خورشید را خلق می‌کرد
و دست‌هایش زیبا بود برای دیدن
زمین باز می‌شد در زیر پاهای بارورش
و او را با دم شیرینش در آغوش می‌گرفت
و بدین‌سان می‌باوراند روشنایی را

جویس منصور از کتاب فریاد / ۱۳۹۳

زن-پرنده | مفرغ | ۱۳۷۳

Femme-Oiseau| Bird-Woman | Bronze | 1994

De la fenêtre de mon atelier, je voyais le ciel, le coucher de soleil et les cimes des sapins du jardin avoisinant. J'entendais les chants des oiseaux, surtout des perroquets qui se réjouissaient d'avoir trouvé des graines de sapin. Je n'avais plus le choix : il fallait créer des oiseaux, des oiseaux rivés au sol qui regardent vers le ciel dans l'espoir de pouvoir voler.

From the tall window of my studio
I could see the sky at sunset and
the tip of the neighbor's pine tree,
and hear the sound of birds,
parrots,
in particular,
that landed gleefully for pine fruits.
I had no choice but to make mine,
birds glued to the ground,
though beholding the sky,
dreaming of flight.

‹ زمان | مفرغ | ۱۳۷۴
Le Temps | Time | Bronze | 35 x 55 x15 cm | 1995

‹ زمان | سفال | ۱۳۷۴
Le Temps | Terre Cuite Colorée
Time | Colored earthenware | 35 x 55 x15 cm | 1995

کتیبه | سفال رنگی | ۱۳۷۲

Inscription | Terre Cuite Colorée | Inscription | Colored earthenware
60 x50 cm | 1993

کتیبه | سفال رنگی | ۱۳۷۲
پرنده | سفال رنگی | ۱۳۷۲

Inscription | Terre Cuite Colorée | Inscription | Colored Earthenware
60 x50 cm | 1993
Oiseau | Terre Cuite Colorée | Bird | Colored earthenware
17 x 23 x4 cm | 1993

رقص شیطان و فرشته شماره‌ی ۱ | مفرغ | ۱۳۷۵

La Danse du Diable et l'Ange, No.1 | "The Devil and Angel Dancing No.1" | Bronze | 50 x 70 x 10 cm |
1996

رقص شیطان و فرشته شماره‌ی ۲ | مفرغ | ۱۳۷۴

La Danse du Diable et l'Ange, No.2 | "The Devil and Angel Dancing No.2" | Bronze
60 x 70 x 10 cm | 1995

‹ مرد ـ زن ـ پرنده | مفرغ | ۱۳۷۵
L'Homme- la Femme- Oiseau | Man-Woman-Bird | Bronze
34 x 24 x 12 cm | 1996

مشرق | مفرغ | ۱۳۷۵
L'Est (L'Orient) | The East | Bronze | 48 x 48 x 12 cm | 1996

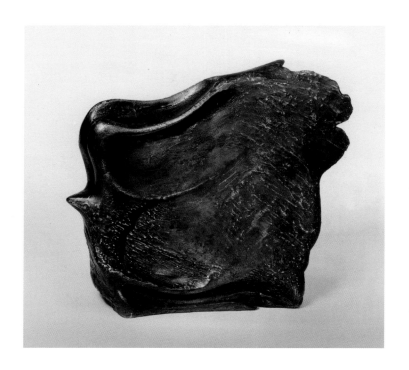

> سمفونی پرواز | مفرغ | ۱۳۷۲
La Symphonie du Vol |Symphony of Flying | Bronze
40 x 36 x 12 cm | 1993

> زن-پرنده | مفرغ | ۱۳۷۵
La Femme- Oiseau | Woman-Bird | Bronze
35 x 15 x 5 cm | 1996

∨ پیامبر | مفرغ | ۱۳۷۳
Le Prophète | Prophet | Bronze
30 x 20 x 10 cm | 1994

نیم‌تنه شاعر | سفال | ۱۳۷۲
Le Buste de Poète | Terre Cuite | Bust of the Poet |Earthenware
59 x 41 x 19 cm | 1993

Hands for Seeing

Anne-Françoise Potterat
Artist
Tehran, Spring 1993

The ceramics of Maryam Salour are at once statues of artistic integrity and objects serving everyday functions. The juxtaposition of colors calls the viewer to a calm and pleasant, but adventurous and vibrant, journey. These are undulations of a creative spirit.

The mind submerges itself in the swell of explosive reds and yellows. The calm of blue is not stable and rapids are not far behind. This journey takes the viewer to the poetic world of Maryam Salour.

The forms hidden behind the balance of dark and light colors (yin & yang) outline a mysterious bird. This is a bird yearning for freedom, with an unquenchable desire to discover distant and imaginary lands. At times the bird flies deliriously and at other times cries inside a metal cage. Framed within a triangle, the bird reminds us of the artist's feminine characteristics, singing her presence in the whisper of hopelessness in hope and hope in hopelessness.

The bird, woman, delicately emits a red shriek and then prepares to take off for her next destination, to the land of dreams, poetry, and creativity, with the blue of her caressing wings.

The concave triangle transforms into a pendulum of maternal gestation and unconditional love.

Because of the feminine essence in the form of bird-woman and the use of earthen material (clay and color pigments), works of this young artist remind us of the worship of sacred goddesses in ancient civilizations.

Woman was creating the sun within her hands
and her hands were beautiful to see the earth opened beneath her pregnant feet and embraced her with sweet exhalation and thus it revealed light.

Joyce Mansour, from *Cry* / 1953

Mains pour voir

Anne-Françoise Potterat

Artiste
Téhéran, printemps 1993

Les pièces en céramique de Maryam Salour sont à la fois des sculptures d'art pur et des objets utiles à la vie quotidienne. Le champ magnétique établi par la relation énergétique des couleurs invite l'oeil du spectateur à un voyage paisible et mouvementé : métaphores aux tribulations de la vie de l'âme créative. L'oeil se noie dans la rencontre explosive d'un rouge et d'un jaune. La tranquillité du bleu ne connaît que précarité, la tempête et l'orage ne sont pas loin. Le voyage mène le spectateur au monde poétique de Maryam Salour. Derrière la balance « yin-yang « des couleurs, la forme dévoile la présence discrète d'un oiseau. L'oiseau symbolise cette soif de liberté et ce goût de conquête pour le pays lointain et imaginaire. L'oiseau tantôt plane avec délire et tantôt pleure derrière le spectacle tragique des barres métalliques. L'oiseau en forme de triangle rappelle l'essence féminine de l'artiste. Cette voix féminine chuchote sa présence, murmure le désespoir de son espoir et l'espoir de son désespoir. L'oiseau-femme avec la fraîcheur du bleu caresse ses plumes pour son prochain envol au pays des rêves, de la poésie et de la création. Le triangle concave se métamorphose en récipient de la fécondité maternelle et de l'amour inconditionnel. L'oeuvre de Maryam Salour, d'une part par son essence féminine et l'allusion à la femme-oiseau, et d'autre part au travers du matériel utilisé, terre-pigment, qui prend sa source dans la Terre Mère, déterre des profondeurs de l'inconscient collectif la réminiscence des anciennes civilisations qui vénéraient la grande déesse.

Une femme Créait en elle le soleil Et ses mains étaient belles à voir.
La terre S'ouvrait sous ses pieds fertiles et l'enveloppait de son haleine orangée
Fécondant ainsi la sérénité.

Joyce Mansour, Cris /1953

روز و شب

آیدین آغداشلو

هنرمند

۱۳۷۹

مریم سالور کار هنری خود را با ساختن ظرف‌های سرامیک شروع کرد. ظرف‌هایی ساخت با شکل‌ها و حجم‌های آشنا، اما با افزوده‌هایی تازه که گاه به ملایمت ـ با ترکیب متناسب و هماهنگ لعاب‌های رنگارنگ ـ و گاه با گستاخی ـ با پاره پاره کردن لبه‌های ظروف و خط خطی کردن زمینه‌هایشان و پاشیدن لعاب‌های پررنگ بر روی هم ـ بسیار بیشتر و پرمایه‌تر از ظروف تزیینی عادی از کار درآمدند.
اما معلوم بود که او به این حد و حدودها قناعت نخواهد کرد و جنبه‌های مصرفی آثارش، را که بیشتر ظرف و گلدان و پایه‌ی چراغ بودند، دست و پاگیر خواهد دانست؛ که همینطور هم شد و آرام آرام شروع کرد به ساختن مجسمه‌ها: مجسمه‌ها اندام‌هایی بودند ساده و با وقار و گاه محزون و نه چندان بلند بالا یا ستبر که بیننده باید به سویشان خم می‌شد و با مهر یا کنجکاوی وراندازشان می‌کرد.
این مجسمه‌ها اغلب بدون چهره اند و اندام کشیده و موزونشان با بافتی رنده ای و شانه‌ای لطیف و تناسبی در خور یافته است. بعضی از اینها قدری به یک سو و یا به جلو خم شده اند اغلب تکیه‌گاهی در پایین، ایستایی‌شان را بیشتر می‌کند.
رنگ‌های مجسمه‌ها از تیره تا روشن متغیر است و بافت مومی شکلشان، تجربه‌ای تازه در این سرزمین است. در چندتایی از این مجسمه‌ها، به جای سر، حجمی شبیه به قلب قرار گرفته است و از موفق‌ترین‌هایشان باید به یک مجموعه‌ی دو تایی اشاره کرد که دو مجسمه‌ی کاملاً هم شکل، اما یکی به رنگ سیاه و یکی به رنگ سفید، کنار هم ایستاده اند.
از نمونه های دلپذیر دیگر، به مجموعه ای از مجسمه‌های تیره، با اندام‌های ساکن و بلند، باید اشاره کرد که سر و صورت در آن چندان قابل تشخیص نیست و انگار که با پارچه ای بسیار بلند پوشانده شده‌اند و این پارچه‌ی خیالی، جزییات را مالیده و محو کرده است و تنها طرحی کلی و نمادین و خلاصه را باقی گذاشته است.
زمینه‌ی دیگر کارهای مریم سالور دیوارنگاره‌های اوست که با همان شیوه‌ی زبرسازی و نواخت‌های اریب مخالف و متضاد شکل می گیرند و نمایشگر دوران به ثمر رسیدن جست‌وجوی طولانی و عمیق او در هنر پیشتاز معاصر ماست. این دیوارنگاره‌ها، در شکل‌های مستطیلی، گاه قاب‌گونه، همچنان رنگ‌مایه‌های سیاه و سپید و خاکستری مورد علاقه‌ی او را به کار می گیرند و در ابعادی بزرگ، امکان‌های تازه و نهفته در دیوارنگاره ها را به چشم می کشند.
مریم سالور پانزده شانزده سالی‌ست که، با جدیت تمام و بی هیچ ادا و ادعایی، یکسره کار کرده است و زمینه های گوناگونی را آزموده است. با نگاهی به حاصل سعی او تا اینجا، می‌شود امیدوار بود و آرزو کرد که بقیه‌ی راه را با همین شایستگی و جرئت و مداومت طی کند. راهی که دراز است، اما همچنان باید پیموده شود.

< آتلیه‌ی تجریش | تهران | ۱۳۷۶

Atelier de Tajrish | Téhéran | Tajrish Studio | Tehran | 1997

سیاه وسپید،
خیر وشر
آهنگ این کلمات از کودکی در گوشم چرخیده بود.
بالیدن در سرزمین خیر وشر
و به جستجوی تعادلی‌که از این تضاد برمی‌خیزد.
طلوع وغروب خورشید.

عاشقانه شماره‌ی ۲ سفید | سفال،اکسید منگنز سیاه،اکسید تیتان،اکسید روی | ۱۳۷۷ >

Amoureusement Nu 2 | Terre cuite ,Oxyde de Manganèse Noir, Oxyde de Titane et Oxyde de Zinc | Collection Jour et Nuit
"Amorously no. 2 White" | Earthenware, black manganese oxide, titanium oxide and zinc oxide | 64 x 16 x 10 cm |1998

عاشقانه شماره‌ی ۲ سیاه | پلی استر رزین ، پودرسنگ ، اکریلیک سیاه | ۱۳۷۷ >

Amoureusement no. 2 Noir | Polyester Résine , Poudre de Pierre, Acrylique Noir | Collection Jour et Nuit
"Amorously no 2 Black" | resin, stone powder, acrylic | 38 x 14 x 7 cm | 1998

< شیطان سیاه | پلی استر رزین، پودرسنگ، اکریلیک سیاه | ۱۳۷۷

Le Diable Noir | Polyester Résine, Poudre de Pierre, Acrylique Noir | Collection Jour et Nuit
Black Devil I resin, stone powder, black acrylic | 38 x 14 x 7 cm | 1998

< شیطان سفید | سفال ، اکسید منگنز سیاه ، اکسید تیتانیوم و اکسید روی | ۱۳۷۷

Diable Blanc | Terre cuit, Oxyde de Manganèse Noir, Oxyde de Titane et Oxyde de Zinc | Collection de Jour et de Nuit
White Devil | earthenware, black manganese oxide, titanium oxide and zinc oxide | 38 x 14 x 7 cm | 1998